ブックレット《アジアを学ぼう》別巻28

# アーカイブのちから

## 世界は足跡《アーカイブ》に満ちている

伊東未来・岩城考信・宮本隆史・森　昭子

風響社

# はじめに

伊東未来・宮本隆史

## 1　「アーカイブ」にあふれた現代

世の中は「アーカイブ」にあふれている。例えばGoogleのメールサービスGmailのアーカイブ機能。重要だと思ったメールに「アーカイブ」のチェックを入れると自動的にアーカイブの欄に割り振られ、他のメールに紛れることなく閲覧しやすくなる。重要なものを別に保管し見つけやすくするという機能である。ユーチューブのアーカイブ機能では、過去におこなった配信動画を保存・公開することができる。本来は一回性・同時性をもった過去の記録を、その先も繰り返し再生したり共有したりする機能だ。写真・動画共有SNSのインスタグラムでは、一度投稿した写真や動画を「アーカイブ」することで、他人が閲覧できないようにできる。アーカイブした投稿は自分だけが見ることができ、他人に対して再表示することも可能である。投稿の削除とも下書きの保存とも異なるストックの機能をもっている。

大学の教員をしている筆者（伊東）が、とある授業で受講者にアーカイブという語を知っているか尋ねたときのことである。ほぼ全員の学生が知っていると挙手した。どういうきっかけでこの語を知ったのか尋ねると、学生たちは上述のようなSNSやメールの機能としての「アーカイブ」を挙げた。いわゆる古典的な意味でのアーカイブについて説明すると、SNSのアーカイブ機能に「元ネタ」があることを初めて知ったという者すらいた。

古い記録をより広くのオーディエンスに届ける仕掛けを、「アーカイブ」と呼ぶこともある。例えば、「NHKアーカイブズ」。NHKはこれを、「過去に放送したテレビ番組や映像素材とその関連資料を最新のデジタルシステムで一元的に保管し、貴重な映像資料を次世代へと伝えて」いくものであると説明している。古い記録をコンテンツとしてパッケージ化する際に「アーカイブ」の語を使う例としては、ヨーロッパ古典音楽のレーベルとして有名なドイツ・グラモフォン傘下のアルヒーフ・プロダクション（一九四八年創立）が挙げられる。このレーベルは、ヨーロッパ中世以来の古楽器演奏などを中心に、音楽を録音しレコードとして販売してきた。この場合は、古い記録そのものを保管するというよりは、古い演奏様式を再演して録音するものであり、「アーカイブ（アルヒーフ）」という語のもつイメージをレーベル名として用いている。

このように、何か古いものを蓄積するという意味が与えられている「アーカイブ」の語は、公的な制度を示すものとして使われることも多い。こうした制度に関する研究を行う学問分野として、アーカイブズ学がある。安藤によれば、日本語でカタカナ表記されるアーカイブズとは「個人または組織がその活動の中で作成または収受し蓄積した記録のうち、組織運営上、研究上、その他さまざまな利用価値のゆえに永続的に保存されるもの」［安藤二〇〇三：一四］として理解される。また、そのための施設である、文書館、公文書館、史料館などもアーカイブズと呼ばれる。近代の国民国家の多くは、自らの国民の歴史を担保するための装置としてこうしたアーカイブズを作り運営してきたのである。

このように、「アーカイブ」という語はさまざまなサービスや制度を示すものとして広く使われるが、そこに共通するのは、モノや情報を長期的に保存する仕掛けであるという点だろう。そうした長期保存への関心から、さまざまな分野で「アーカイブ」の構築が試みられている。例えば、建築物の図面は建物を作るまでに何度も書き直され検討される重要なドキュメントであるが、建物の完成後は顧みられなくなることも多い。しかし、そうした図面が残っていれば、建築史やその思想の変遷を振り返る際に役立つという関心から、国立近現代建築資料館は図面や模型などの調査や収集・保管などをおこなっている。

## 2 「アーカイブ」は自明の何かではない

私たちはアーカイブをすでにある確立されたものとして認識しがちである。しかし、アーカイブが自明に存在するわけではない。先述したSNSのアーカイブ機能にも端的に表れているように、あなたは対象となる情報をアーカイブしたりしなかったり、ストックしているアーカイブを公開したり非表示にしたりと、アーカイブを操作することができる。このことは、私的なSNSだけでなく、公的な組織であっても同様である。

アーカイブは、「する（しない）／なる（ならない）／される（されない）」ための様々な意志や選択の積み重ねの帰結として、今現在このかたちでそこに存在しているに過ぎない。そして、この先も変化しつづける。

二〇一九年の「桜を見る会」をめぐる、時の政権による公文書の破棄は、私たちにこのことを痛感させた。不都合な招待客の名が含まれた名簿が、野党による追及の直後にシュレッダーにかけられた。「行政機関の保有する情報の公開に関する法律」（情報公開法）や「公文書等の管理に関する法律」（公文書管理法）をその根拠として挙げるまでもなく、公金を用いてなされる為政にまつわるあらゆる記録はアーカイブされるものだと当然視していた私たちは、政府関係者がそれを物理的に破壊することで「なかったこと」にしようと試みたことに驚いた。何をアーカイブするのか／しないのかの選定は、時に権力と強く結びつく。

選択を経てアーカイブになってからも、権力と結びついた破壊の可能性はつきまとう。秦の始皇帝による焚書坑儒やナチスドイツによる焚書は、権力によるアーカイブの意図的な破壊のもっともよく知られた例であろう。ドイツの作家ハインリヒ・ハイネ（一七九七―一八五六）は、戯曲『アルマンゾル（Almansor）』において「本を焼く者は、やがて人間も焼くようになる」という警句を残したが、まさにその通りになってしまったのである。アーカイブの破壊は時に、文書やデータがこの世から物理的に消えること以上の意味をもつ。

アーカイブにするかしないかの選択は、必ずしも暴力的に進められるとは限らない。地球上の物理的スペースもアーカイブ作業をおこなう人手も有限である以上、ありとあらゆる情報をアーカイブすることは不可能であり、何らかの基準を設けて選別しなくてはいけない。保存する文書の選定や保存期間の設定は、アーキビストに委ねられたり法律で定められたりしている。

しかしながらアーカイブは、何らかの基準を設けて選別された情報の集積とも限らない。作家や研究者がその創作・研究活動のために集めたありとあらゆるモノが、その死後に「文庫」「叢書」「コレクション」となることで、最初から何らかの基準や首尾一貫性をもって集められていたアーカイブであるかのように想定されることもある。単に存在を忘れられ捨てられずにいただけかもしれない、とある作家の書斎に置かれたチラシが、後にそれをアーカイブとして参照する研究者や愛読者にとっては、何かを意味する資料となることもありえる。それは、アーカイブと同じ接頭語 arch- をもつ考古学（archaeology）において生じることにも似ている。当時の人びとにとっては記録の意味をなさない貝殻のごみの集積が、後世に参照された時、人の集住を示す史料となる。

Google の論文検索サイトである Google Scholar のトップページには、「巨人の肩の上に立つ」という言葉が、何の説明もなくそっけなく書かれている。私たち人間はちっぽけで一人で遠くを見通すことはできないが、巨人の肩＝先人たちの知の集積の上に乗ることでそれが可能になるという、西洋の警句である。近年では、アーカイブの「利活用」とそれに向けたより高い情報公開性への志向が求められ、巨人はどんどん肥大化している。しかし、巨人の肩はすべて表に晒されているわけではない。アーカイブの公開の上には、プライバシーの保護や政治的影響の懸念、著作権や市場化とのバランスなど様々な意図が働いている。その結果、アーカイブは非公開になったり、部分的公開になったり、一定期間の非公開の後に公開されたりもする。

このように、「アーカイブ」をどのように扱うかということは、あらかじめ定められた手続きや制度などによらないことも多い。もしそのような制度・規範があったとしても、それを無視する誘因も人びとには与えられている。つまり、「アーカイブ」にまつわるわたしたちの行動には、意識的であれ無意識的であれ、利害関係が含まれてしまっているのだ。

## 3 「アーカイブ」の価値も自明ではない

何が残されるべきものなのか、何が「アーカイブ」に含まれるべきなのかという価値判断も、あらかじめ与えられているわけではない。問題視される以前、一体どれだけの人が、例年おこなわれている桜を見る会の参加者名簿を価値ある行政文書だと捉えていただろうか。参照すべき事態が起きたとき、それが価値あるアーカイブとして立ち現れたり、アーカイブされなかったものが「失われたアーカイブ」として価値を帯びたりする。

二〇一一年に東日本大震災が起きたとき、被災地の各地で文化財レスキューがおこなわれた。津波によって散逸し泥にまみれてしまった寺院の仏像、博物館の収蔵品、地域の祭りに用いる衣装、古文書などが、集められ清められ再び保管された。文化財レスキューは、震災によって多くの物を失った人びとにとって、失われたモノが再び集められたということ以上の意味をもつ。私たちは時に、アーカイブされて当然と思っていたモノ・アーカイブされていることすら認識していなかったモノを失いそうになって初めて、その価値を認識したり再評価したりもするのである。

価値が不明なモノや情報が遺されて、後世に参照されることで新たに価値が見出されることもある。例えば、日本の古代末・中世に書かれて遺った紙背文書（裏文書）。廃棄されることになっていた文書の裏に日記などの記録が書かれたために、意図せず後世に伝わった文書である。近世には、襖や屏風の下張りにこうした廃棄される予定であった文書が使われて遺っている。こうした文書から、網野善彦などの社会史家たちは、選択されて伝来した文書に描かれていたのとはまったく異なる、海民や非農業民の姿を見出すことになった。

グアテマラでは、一九六〇―九六年の長きにわたる内戦のあいだ、軍事独裁政権による反政府勢力への対応のなかで、国軍や秘密警察が市民を厳しく弾圧した。独裁が終了すると、秘密警察が集めた文書は放置される結果になった。現在、それを市民オンブズマンが整理しアーカイブにする作業を続けている。かつての独裁政権に近い勢力からの攻撃の脅威にさらされながらも、市民たちが文書の整理・保存のための作業をおこなうのは、過去を回復するという作業自体が、彼女／彼らにとって民主主義を目指す運動の意味をもつからである。このように、アーカイブを作ろうとすること自体が、明らかに政治的な意図をもってなされることもある。

何を遺すかという価値判断自体が、わたしたちの行動に影響をあたえることもある。現代美術では、過去に作られた作品との関係で、新たな作品の評価がなされる傾向が顕著である。「美術史」に過去のどの作品が含まれ、どの作品が入っていないのかが、新たな作品の評価を左右する。そして「美術史」を支えるのが、過去に作られた作品の総体としての「アーカイブ」である。作家たちはその「アーカイブ」との関係で、自分の作品が評価されることを意識して制作をおこなう。となれば、「アーカイブ」の中身がどのように構成されているかは、作品の成功に直結することになる。現代美術においては、「アーカイブ」に関する価値判断自体が、制作という行為の一部になっているとも言えよう。

## 4 「アーカイブ」をとらえるさまざまな視座

このように、「アーカイブ」なるものにはさまざまな力が作用していると同時に、「アーカイブ」もわたしたちの行動にさまざまな影響を与える。「アーカイブ」は真空状態の中にある価値中立的な存在ではないのだ。言い換えれば、わたしたちはその意図の如何にかかわらず、社会生活のなかで「アーカイブ」を作りだしてしまうし、何らかのモノや情報の集まりを「アーカイブ」として使ってしまう。本書では、そうした「アーカイブ」を人びとが作り、利用し、破壊し、忘却し、あるいは想起するさまざまな現場を見ていく。

第Ⅰ章（岩城）では、タイの高床式住宅に刻まれた痕跡を、「アーカイブ」として読みうることを示す。建築学の研究者である岩城は、防災に関する在来知がいかに人びとの住宅に蓄積されているのかを読解する。当事者にとってはアーカイブとして作ったつもりはなくとも、参照する者の視点次第でそれがアーカイブに「なる」様を示す。

第Ⅱ章（伊東）は、マリ共和国のトンブクトゥで起きたアラビア語写本（トンブクトゥ写本）のテロリストからの救出活動を取り上げる。危機に瀕したアーカイブの存在が、それを保持してきた地域住民に強い矜持をもたらし、社会における意味付けを変化させた様をたどる。

第Ⅲ章（森）は、ガーナの看板絵師の作品が、作家、同業者、顧客、ギャラリスト（美術商）、キュレーターなど、アートワールドを成すさまざまなレベルの行為主体によっていかに「アーカイブ」としてあつかわれるのかを観察する。グローバルにつながっているアートマーケットの中で、絵師たちの作品に関する情報はカタログ化され広く流通している。一方で、絵師たちも自分自身でローカルなカタログを作成し、アートマーケットの中で不特定多数に開かれたアーカイブと、自己のコントロールが及ぶアーカイブの両方を戦略的に活用しているのである。

第Ⅳ章（宮本）は、英領インドの流刑地アンダマーンに関して英語・ウルドゥー語・ヒンディー語などで書かれた、いくつかの文書に注目する。公文書が公文書館に移管されるのとは異なるやりかたで、さまざまな書き手によって文書が「アーカイブ」として認識され利用される様子を示す。

本書では、これらの事例を通して、とらえどころがないにも関わらず私たちが作り、私たちがちからを行使し、私たちにちからを与え続ける「アーカイブ」なるものに接近する、いくつかの具体的視座を提供したいと考えている。

**参考文献**

安藤正人　二〇〇三「文書館の資料」小川千代子・高橋実・大西愛編『アーカイブ事典』大阪大学出版会。

# Ⅰ　タイ中部の高床式住宅に刻まれた洪水への対応史

岩城考信

## 1　はじめに

起工から竣工、そして様々な増築や改築を経て現在に至る建物は、設計者の思想や大工の技術のみならず、施主や居住者といった人々の階層や職業、出身、宗教、またその土地の自然環境など様々な情報とそれらの変遷が刻まれた、アーカイブと言える。

バンコクの立地するタイ中部では、ルアン・タイと呼ばれる伝統的な高床式住宅が、住宅形式として広く普及している（写真1）。ルアン・タイは、ルアンが住宅の意味なので直訳するとタイ住宅となる。ルアン・タイやタイ住宅という呼称は、読者には馴染みのないものであろう。本章ではタイ中部の伝統的な高床式住宅のことを、単に高床式住宅と記述したい。

筆者はこれまで、タイの首都バンコクやバンコクから北に七〇キロほどの古都アユタヤ近辺の農村において、高床式住宅のフィールドワークを行ってきた。この高床式住宅は、タイ中部の自然環境と人々の文化が融合して、生み出されたものである。そこには、家族のあり方や自然環境の変化に応じて行われた増築や移築、改築、また洪水

写真１　タイ中部の伝統的な高床式住宅

時の浸水深が、物理的な痕跡として記録されている。そこで、まず高床式住宅を実測し、平面図や断面図を作成し、そこに人々の記憶や経験を聞き取り、重ね合わせることで、高床式住宅に刻まれた歴史を読み取ることが可能となる。本章では筆者のこれまでの研究成果をもとに、タイ中部の高床式住宅を、文字資料とは異なる様々な情報が刻まれたアーカイブとして捉え、建築学の視点から読み解く手法を明示したい。さらに、タイ中部の高床式住宅のアーカイブとしての重要性や可能性のみならず、問題点や限界も同時に提示したい。

## ２　高床式住宅の建築的な特徴

タイ中部の高床式住宅の建築的な特徴は、大きく四つある。

第一の特徴は、一般的に床が地面から二から二・五メートルほど高いことである。タイ中部の伝統的な住宅が高床式である最大の理由は、雨季の終わりに発生する洪水への適応である。タイ中部では、五月から一〇月頃の雨季に上流で降った雨がゆっくりと下り、九月から十一月頃に緩やかに河川が氾濫し洪水が発生する。タイ中部を中心に、二〇一一年九月から数ヶ月間に渡り、大被害をもたらした大洪水（以下、二〇一一年大洪水）は、多くの日本人も記憶しているのではないだろうか。こうした洪水常襲地域における高床式住宅では、洪水時に水没する柱は浸水やシロアリの食害に強いチークが最良となる。

タイ中部において、高床は特に洪水に対応して生み出されたものであるが、それ以外にも様々な機能を兼有する。高床は、床下の風通りを良くし、熱帯の強い日差しによる地面からの輻射熱を防ぎ、床下に日中の強い日差しから守られた作業空間や家畜を飼うための空間をも提供する。そして、毒蛇、オオトカゲやワニといった大型の爬虫類、赤蟻や蚊といった害虫、そして部外者の侵入から床上で暮らす人々を守る機能も有している。

第二の特徴は、形式化された空間を持つ住居棟や台所棟がチャーンと呼ばれる中庭のような屋外空間を中心に配置される分棟式であることである。住居棟の前面には、チャーンに隣接してラビアンと呼ばれる庇がかかったベランダがあり、その奥には壁で囲まれたホン・ノーンと呼ばれる寝室がある。チャーンとラビアンには、二〇から四〇センチほどの段差がある（写真2）。この段差は、住宅内へ風を取り込むのみならず、座る場所の高低によって、人々の階級や年齢を可視化する機能も有する。

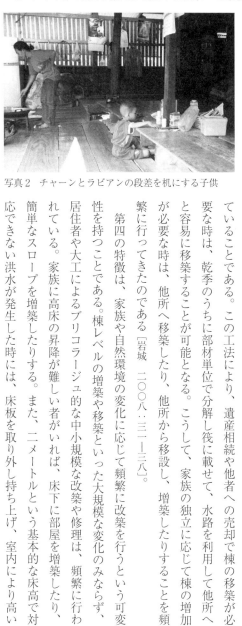

第三の特徴は、他所で壁や柱、屋根を部材単位で造り、それを現場で組み立てる独自のプレハブ工法が用いられていることである。この工法により、遺産相続や他者への売却で棟の移築が必要な時は、乾季のうちに部材単位で分解し筏に載せて、水路を利用して他所へと容易に移築することが可能となる。こうして、家族の独立に応じて棟の増加が必要な時は、他所へ移築したり、他所から移設し、増築したりすることを頻繁に行ってきたのである［岩城　二〇〇八：三一—三八］。

写真2　チャーンとラビアンの段差を机にする子供

第四の特徴は、家族や自然環境の変化に応じて頻繁に改築を行うという可変性を持つことである。棟レベルの増築や移築といった大規模な変化のみならず、居住者や大工によるブリコラージュ的な中小規模な改築や修理は、頻繁に行われている。家族に高床の昇降が難しい者がいれば、床下に部屋を増築したり、簡単なスロープを増築したりする。また、二メートルという基本的な床高で対応できない洪水が発生した時には、床板を取り外し持ち上げ、室内により高い居住空間を一時的に設置することで洪水の間も居住したり、同時に室内からの早い排水を促したりするのである。

以上、タイ中部の高床式住宅の四つの建築的な特徴を見てきた。それらは、いずれも洪水への適応と共に生み出された特徴であると言える。続いて、現在も毎年洪水が発生している、アユタヤ県のバーンバーン地区での洪水への対応のあり方を通して、タイ中部の高床式住宅に刻まれた洪水への対応手法をさらに詳細に読み解いていきたい。

## 3　タイ中部の洪水常襲地域にあるバーンバーン地区の洪水対策と高床式住宅

### 1　洪水常襲地域としてのバーンバーン地区

二〇一一年タイでは大洪水が数ヶ月間に渡り発生し、特にバンコクの立地するタイ中部が大きな浸水被害を受けた。しかし、この大洪水は、タイの治水能力が低いということに起因するものではない。一九六〇年代半ばから利水と発電のためにチャオプラヤー川水系の上流に大規模ダムが建設された。一九六四年竣工のプーミポン・ダムの貯水量は一三五億立方メートル、一九七四年竣工のシリキット・ダムの貯水量は九五億立法メートルであり［小森・木口・中村　二〇一三：一六］、これら主要な二つの大規模ダムの合計貯水量は二三〇億立方メートルにもなる。さらに、これら以外の中小規模のダムの貯水量を合わせると、タイ中部のダムは、琵琶湖の貯水量二七五億立方メートルにも匹敵する、膨大な貯水量を有している事が分かる。二〇一一年大洪水は、一九六〇年代以降に整備されたダムのような近代的な治水施設の想定範囲を超えた、百年に一度の大雨が降ったために発生した。

ただし、二〇一一年大洪水を含むタイ中部の洪水を日本の洪水と単純に比較してはいけない。地形高低差が、一キロで数センチメートルという緩やかな地形の勾配に応じて、タイ中部の洪水は、非常に緩やかにやって来る。雨季に上流で降った雨が、雨季の終わりにゆっくりと下流へとやって来て、場所によっては数週間から数ヶ月間滞留し、そしてさらに下流へと流れていく。一九六〇年代に上流にダムが建設されるまでは、ゆっくりと来る洪水に応じて、タイ中部では乾季と雨季の終わりでその景観や人々の暮らしは、毎年激変してきたのである。ただし、現在も毎年、数週から数ヶ月間水没する地区がタイ中部には存在する。それが、本章で扱うアユタヤ県バーンバーン地区である（写真3）。

## 2　バーンバーン地区における四つの洪水対策と三つの集落タイプ

現在も洪水と共存しているバーンバーン地区では、個々人によって四つの異なる空間レベルの洪水対策が実践されてきた。

写真3　洪水時に船で往来する人々

写真4　トラクターが載ったコーク（塚）

一つ目は、居住地として良好な土地の選択である。まず、幹線水路沿いの自然堤防の上や地盤が少しでも高い微高地を探し、居住する。地形高低差の少ないタイ中部では、地盤の高低を視認することは難しいものの、一メートルから数十センチメートルの地盤高の差は洪水時の浸水深を大きく軽減することに繋がるのである。

二つ目は、床高二メートルほどの高床式住宅の建設である。高床式住宅では、洪

写真５　住宅周りの竹の屋敷林

写真６　屋敷林の竹林で採れた筍

水時にも安全で快適な人工地盤としてのチャーン、ラビアンや寝室といった住空間を水上に維持することができる。

三つ目は、コーク（塚）と呼ばれる敷地の一部分の盛土である（写真４）。他所から土砂を運搬すると、その購入費や輸送費が掛かるので、通常は近場の自分の敷地の一部から採土し、それを盛り上げて建設する。ここには、高床式住宅の床上に持ち上げられない、トラクターといった重量のある農業機械などを置き、浸水から守ってきたのである。土砂を採掘してできた、凹みには水を溜め、魚などを養殖することもある。こうしてコークによって生み出された凸と凹の微地形は、効率的に利用される。

四つ目は、高床式住宅の周囲に屋敷林を設置することである。床高二メートルほどの高床式住宅は、遮蔽物の少ない農村では建物の高密な都市部とは異なり、風によって大きく揺らされる。この風から住宅を守るものが、竹や木々によって構成され、高床式住宅の周囲に配置された屋敷林である（写真５）。さらに、屋敷林には洪水時にも大きな役目がある。洪水と共にやってくる漂流物の敷地への侵入を防ぐネットとしても機能するのである。屋敷林に竹を用いれば、それは防風林や洪水時の防護ネット、竹という建材や筍という食料の供給源として、様々な機能を兼有する非常に有用なものとなる（写真６）。

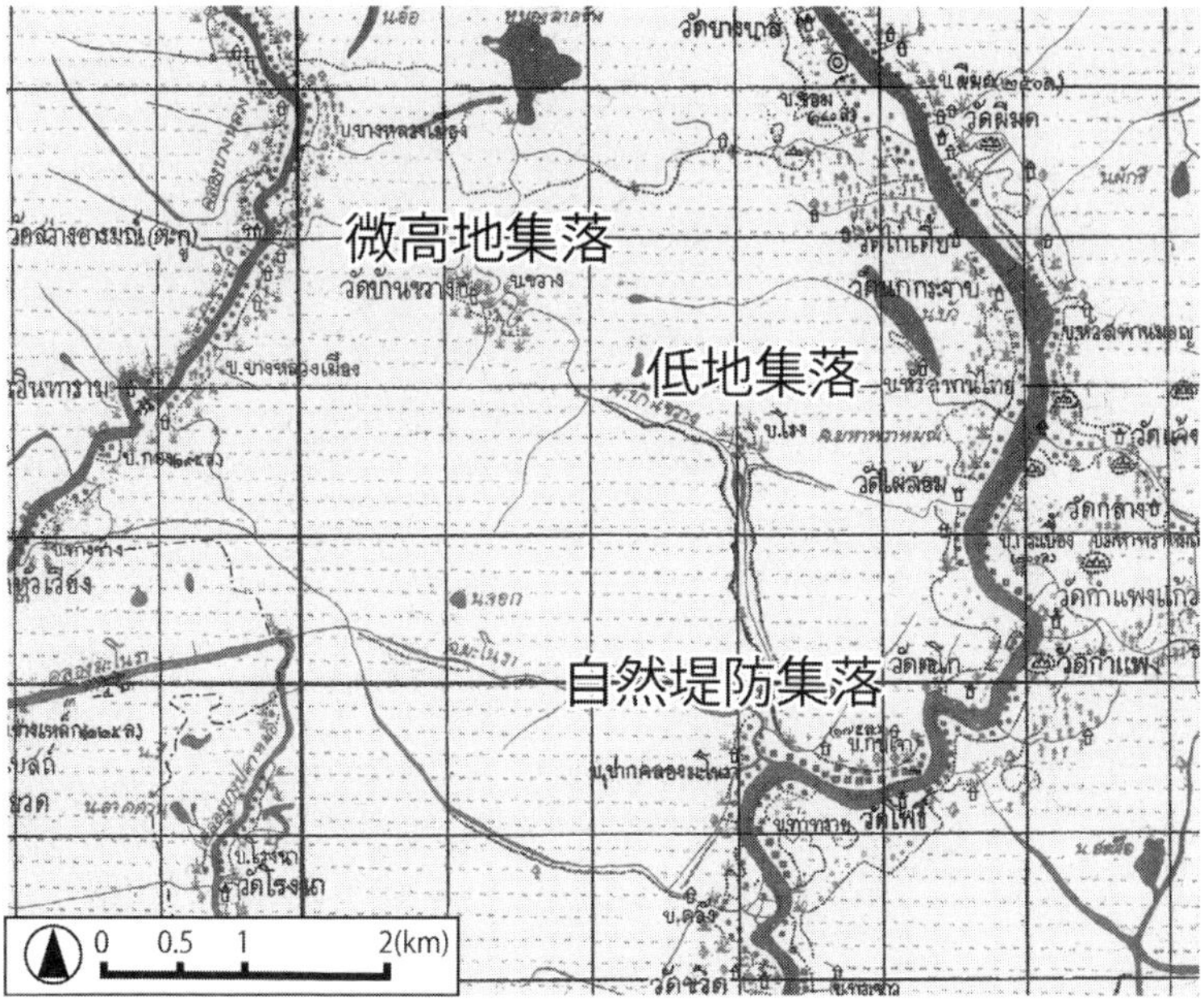


図１　古地図に描かれたバーンバーン地区の集落の立地［Krom Phaenthi Thahan 1915/16 をもとに作成］

こうして、居住地の選択から高床式住宅の建設、コークや屋敷林の設置に至る四つを組み合わせて、人々は洪水に対して、個人的に対応してきた。高床式住宅とその周辺環境の関係性そのものが、人々の洪水への対応を理解する上で重要なのである。

さて、バーンバーン地区では、集落の立地には三つのタイプが見いだせる。一九一五／一六年にタイ国軍地図局が測量し一九二七／二八年に印刷したものを、一九五九年に再版した古地図を見ると、多くの寺院や集落は、地域を流れる幹線水路沿いに立地していることが分かる（図１）。これらは、幹線水路によって運ばれた土砂が堆積してできた自然堤防の上に立地しているのである。二つ目は、数は少ないものの幹線水路から離れた内陸側の寺院の周辺に形成された集落である。寺院もあることからこの周辺が微高地であることが読み取れる。三つ目は、内陸側の寺院に隣接しない集落である。寺院もないことから、入植時期が遅

写真７　2011 年大洪水の浸水深が刻まれた柱

くまた低地であることが古地図上から読み取れる。

さて、これらの三つのタイプの集落の高床式住宅の床下は、二〇一一年大洪水時にすべて浸水した。この時の浸水深は各住宅の柱や壁に痕として残されており、そこから地盤高を逆算することができる（写真7）。一番水没した土地、すなわち一番地盤高が低い集落を低地集落として、そこを〇とすると、一番地盤高の高いものはプラス一メートルの自然堤防集落となり、次に高いものは、プラス二四センチの微高地集落となる。このように、一見すると平坦に見えるバーンバーンの平原においても洪水時の浸水深から、集落の地盤高には、最大一メートルの差があることが分かる。そして、年代は不明であるが、まずバーンバーン地区の地盤高の高い自然堤防上から順に人々は入植していったと考えられる。続いて、三つの集落ごとに、高床式住宅に刻まれた二〇一一年大洪水の記録と人々の記憶と経験を、地盤高の高低差に従って見ていこう。

## 4　二〇一一年大洪水時のバーンバーン地区における対応の多様性

### 1　通常生活を行う自然堤防集落

地盤高がプラス一メートルの、自然堤防集落における二〇一一年大洪水時の様子から見ていこう。ここでは柱に刻まれた浸水深跡から、床下が浸水しただけであることが分かる。数ヶ月間の大洪水も、既存の床高と毎年の洪水に備えて床下に設置された舟の利用といった通常の洪水対策で十分対応でき、床上浸水することもなく居住し続けることができた。ただし、自宅のトイレは水没し使用できなくなったので、衛生環境の悪化を考慮して、排泄は政府の用意した浮厠を利用したり、住宅内では簡易トイレを利用しそれを排泄物の回収舟に廃棄したりした。実は、このような排泄行為は、洪水時の伝統的な排泄様式に類似したものであった。年配の人々にとって、洪水時のかつての排泄行為は、家から舟を漕ぎ出し、周辺に生えた、洪水の水位に応じて二〜三メートルほど伸びた浮稲の茂みにわけ入り、身を隠した上で舟上から行うものであったからである。

ただし、車やトラクターといった重量があり資産価値の高いもののみ、一九八〇年代以降に数メートル盛土され建設された遠方の幹線道路の上や、盛土され水没しなかった寺院の敷地などに移動、避難させていた。

このように、自然堤防集落では二〇一一年大洪水時も、車などを水没しない幹線道路など他所へと移動することはあったものの、人々は通常時の洪水とあまり変わらず、高床式住宅に大きな不便なく暮らしていたのである。

## 2　家具移動で対応する微高地集落

続いて、地盤高がプラス二四センチの微高地集落の、二〇一一年大洪水時の様子を見ていく。ここでは、多くの高床式住宅が床上浸水した。床上の柱に刻まれた浸水深跡をみれば、自然堤防集落とは異なり、中にはチャーンからの浸水深が七五センチに達し、人々が寝食を行うラビアンや寝室の床上に浸水したものもあった。ただし、微高地集落の人々は、毎年の洪水とそれによる浸水に無策であったわけではなく、備えを行ってきた。

微高地集落では、自然堤防集落より自分たちの住む土地が七六センチほど低く、また地区が盛土された幹線道路からも遠い内陸側に立地していることを自覚しており、それゆえに高床式住宅を建設するだけでなく、敷地の一部を土盛りしコークと呼ばれる塚を建設して、そこにトラクターなどの重く重要なものを置き、洪水に対応してきた。ただし、二〇一一年の大洪水時は、このコーク上ですら安全ではなく、車やトラクターは遠くの幹線道路の上などに避難させたのである。

さて、二〇一一年大洪水時の微高地集落における高床式住宅での暮らしはどうであっただろう。住民の多くは床上浸水しない他所へ避難し、各家数名のみ泥棒から資産を守るために、床上浸水する室内に居住していた。床上は足首を超えて浸水していたので、通常は床下において野良作業に利用する、脚の高い竹製の台をラビアンの床上に運び上げ、そこで寝食を行い、暮らしていたのである。

トイレに関しては、ここでも舟で浮厠へ行ったり簡易トイレを利用したりすることで、居住者の衛生環境は守られていた。そして、それは年配の人々にとって浮稲が繁茂したかつての生活様式へのちょっとした回帰を意味する程度の不便さしかなかった。

## 3　住宅を改築する低地集落

続いて、最も地盤の低い低地集落について見ていこう。この土地は、自然堤防集落に比べると、マイナス一メートル、微高地集落に比べるとマイナス二四センチメートルとなり、バーンバーンおいて地盤高が最も低い集落である。低地集落に住む人々の最大の特徴は、地区への入植時期が自然堤防集落や微高地集落に比べ遅かったため、周辺に農地を所有しない人々が多いことである。現在では、周辺の稲作農家の農作業の手伝いや建設現場での日雇い労働、工場労働、都市部への出稼ぎなど、多様な職業に従事している。

低地集落は、二〇一一年大洪水時には、大きく床上浸水した。それは、微高地集落のようにラビアンに家具を移動することで対応できるような小規模なものではなく、チャーンの床面から七七センチ以上高い位置まで、膝上を超えて大規模に水没したものもあった。

低地集落では土地持ちの農家が少ないので、重量のある農業機械を持つ者もなく、それらを水没から守るためのコークもほとんどない。前述したように、バーンバーン地区の洪水対策は、自然堤防あるいは微高地の上での居住、高床式住宅の建設、コークの設置、屋敷林の配置という四つの異なる空間的レベルのものの中から、三から四つを結びつけながら、構成されている。しかし、この低地集落では、高床式住宅とその周辺に配置された屋敷林という二つのみが洪水対策として利用されている。それでは、バーンバーン地区において最も水没した低地集落では、二〇一一年大洪水時にどのように対応していたのだろう。

低地集落の人々は居住する土地の毎年の水没状況から自らの土地が低いことを理解しており、床下に設置された台を床上に移動させるといった程度では二〇一一年大洪水に対応できないことを予想できていた。それゆえ洪水が来る数日前に、大工を呼び、床板の持ち上げを行って対応したのである。

タイの洪水は緩やかに氾濫し上流から下流へとゆっくりやって来るので、それに備える時間が住民には十分にある。低地集落では、大工が高床住宅の床の一部を取り外し、床上七〇センチメートルの柱と柱の間に床を支える根太を新たに釘で固定し、その上に取り外した床を載せ、高床式住宅の床上にさらに大洪水でも水没しない通常の床から七〇センチメートル高くなった仮設的な高床空間を室内に生み出したのである。

その仮設的な室内の高床空間に、泥棒に備えて、家族の中で一名が残り、数ヶ月生活したのである。すべての床を持ち上げた訳ではないので、限られた室内の高床空間は人や水没してはいけない家電製品を避難させる一時的な退避空間であった。さらに、低地集落の高床式住宅の中には、仏像などの軽量でより重要なものを、雨風から護るように梱包し屋根の上に移動させるものもあった。実は、このような洪水時の住宅あるいはその周辺の改築は、二〇一一年大洪水以外の通常の洪水時にも住民が水上を歩けるようにするサパーン・マイと呼ばれる木橋の建設などで頻繁に行われており、それらに必要な木材は、床下に常に保管されている。この床下に常備された、洪水時の木橋建設用の木材などが、二〇一一年大洪水の際には、室内の高床空間の設置に利用されたのである。

低地集落で、一般的に行われた室内の高床空間の仮設工事のデメリットは、工事費が必要であったことと、室内に水が出入りするため水中にいる魚類や蛇、蜥蜴などが一時的に室内を自由に通過するという事態が起こったことである。しかし、この仮設工事によって室内での居住が可能となり、かつ大洪水の終息後は室内の水捌けは早く、室内の掃除もより簡単となったという、大きなメリットもあった。

このようにバーンバーン地区に現存する高床式住宅を中心とする様々な洪水対策から見えてきたものは、通常の洪水に対しては、まず自然堤防や微高地といった地盤高の高い土地への居住で対応し、そこに床高二メートルほどの高床式住宅を建設し、さらに敷地の盛土によるコークや屋敷林の設置で対応してきたということである。そして、二〇一一年の大洪水時には、いくつかの集落では床上浸水したものの、高脚の家具の設置や、床板を取り外し室内に仮設の高床空間を設置するという改築工事で柔軟に対応していたのである。

## 4　もう一つの高床式建物としての牛小屋

さて、タイ中部の洪水常襲地域の中でも特に水が集まり易いバーンバーン地区では、洪水に適応した伝統的な高床式の建物は、住宅の他にもう一つあった。それが、高床式牛小屋である。

ここでは、一九六〇年代から七〇年代に、農業機械としてトラクターが導入される以前は、鋤を引き田起こしを行う耕牛を高床式牛小屋の中で飼ってきた。耕牛は、地上から延びたスロープを登り、高床式牛小屋へと移動する(写真8)。

タイでは耕牛として牛ではなく、より力のある水牛が利用されることが一般的である。しかし、バーンバーン地区では水牛が飼育されることはほとんどなく、牛が用いられていた。バーンバーン地区で、水牛ではなく牛が用いられていた理由は二つある。

写真8　高床式牛小屋のスロープ

写真9　台所に改築されたスロープのある高床式牛小屋

第一に、牛は水牛よりも体重が軽い。タイの牛の体重は、成熟時でも三四五から五〇〇キログラムである［上野　一九八八：五九］。一方大型の水牛の体重は四五〇から五五〇キロ、中には一〇〇〇キロを超えるものもいる［柏原　一九八四：三五］。水牛は重く、床下を構造的に補強した高床式牛小屋であっても、自重でその床を破壊してしまうことがある。一方、水牛にくらべ軽量な牛は床を破壊することがないのである。

第二に、牛は水牛よりも泳ぎが下手で大人しい。バーンバーン地区は、二〇一一年大洪水のみならず、毎年、数週間から数ヶ月間水没する洪水常襲地域にある。各世帯では、数頭の耕牛を飼う必要があり、それらは洪水時には長ければ数カ月間、床上で生きることになる。水牛は、長い期間の床上での生活にストレスを感じ、泳ぎが上手なので洪水時に水中に逃げ出してしまう。一方、牛は泳ぎが下手で、洪水時にも水中に逃げ出すこともなく、高床式牛小屋の中でおとなしく生きることができるのである。

地上とスロープで繋がる高床式牛小屋は、かつてはバーンバーン地区において世帯ごとにあったと言ってよいほど一般的なものであった。しかし、田起こしが、耕牛からトラクターの利用へと変化する中で、高床式牛小屋の多くが取り壊された。残ったものの中には、今もスロープが取り付き、住宅よりも床下柱が太く、床板を支える根太が補強されており、一見して高床式牛小屋と分かるものもある。しかし、多くはスロープを階段に取り替え人間が利用する倉庫や台所に改修して(写真9)、そこが高床式牛小屋であったとはすぐには分からないものもある。

高床式牛小屋は、現在の人々の生活に合わせて変化しているものの、牛の昇降用のスロープ、太い床下柱、根太の補強などといった物理的な痕跡を残している。高床式牛小屋、あるいはそれらが再利用された倉庫や台所などもまた、バーンバーン地区の洪水と密接に結び付く自然環境や人々の暮らしの変遷が記録されたアーカイブの一つと言えよう。

## 5 記録媒体としての高床式住宅の限界と重要性

何度も述べてきたように、タイ中部の高床式住宅は人々の記憶と一体となって、様々な情報を記録している、重要なアーカイブである。そして、タイ中部の高床式住宅は、非常に優れた記録装置であるものの、実はそこに刻まれた記録が頻繁に初期化されることもその建築的な特徴の中に組み込まれていることを忘れてはならない。

高床式住宅が初期化される時、それは移築によって、他所へ移設されたり、家族以外の他者へと所有が変更されたりする時である。タイ中部の高床式住宅は、プレハブ工法なので解体と組み立てが容易であり、遺産相続や売買の際、他所への移築が頻繁に行われてきた。

バーンバーン地区では、住宅を移築する場合、まず雨の少ない乾季のうちに大工の指示のもと居住者も手伝い住宅を解体しておき、筏の上に壁パネル、柱、小屋組みや破風の部材を載せて高床式住宅の床下や周辺に仕舞っておく。そして、雨季の終わりの洪水に合わせて、筏ごと他所へ移動して、また大工の指導のもとで組み立てるのである。こうすれば、移動を非常に簡単に行うことができる。さらに、タイ中部の高床式住宅には、移築が頻繁なためであろうか、日本の大工が建物の建設の記録を棟木に記す棟札のような建築的な習慣がない。こうして、他所へ移築された高床式住宅は、王族などのその行動が記録に残る有力者や親族によって見える範囲に移築された場合を除き、以前の場所で蓄積された情報を失ってしまう。

現在では高床式住宅において不必要な住宅棟や台所棟は、トラックによって移動され、都市部の好事家や近隣の古材市場に、特にチーク材を用いたものは高値で売られていく（写真10）。こうして、他所へと売却されたものは、木材の表面を研磨したり小さな穴を埋めたりして、表面に記録された洪水の線や釘の跡などの以前の様々な痕跡を消し去った上で、異なるユニットとアセンブルされたり、部材単位でバラバラにされたりして、そこに刻まれた様々な情報の集積が消されてしまう。そして、また新たな場所や使用者の下で様々な情報を新たに記録していくことになる。

写真10　古材市場で売買される高床式住宅の部材

二〇一一年大洪水以降、タイ政府は次なる大洪水を防ぐために、上流にさらにダムを建設し貯水力をいっそう高め、またバーンバーン地区においても地区に水が入らないように幹線水路沿いにカミソリ堤防を建設し、洪水を防ぐための近代的な施策を行っている。しかし、今後も想定を超えた降雨のもと、さらなる大洪水が発生する可能性は高い。その時には、バーンバーン地区が何世代にも渡り実践してきた、洪水と共存するための手法が改めて重要となることは間違いない。しかし、バーンバーン地区にあった高床式住宅は現在、地区を越えた他所へと売却、移築され減少しつつある。

タイ中部の高床式住宅とその周辺環境は、世代交代といった数十年単位と、毎年の洪水といった年単位、そして洪水時には数ヶ月単位で、その空間構成や住まい方を変化させる柔軟性を持つ。特にバーンバーン地区の三つの集落の高床式住宅から見えきたものは、巨大な貯水力を持ったダムや堤防といった近代技術を用いた行政による洪水対策のみに依存しない、伝統的で柔軟な洪水への対応である。しかし、このような事例は、タイにおいてまだまだ十分に知られておらず、これら高床式住宅という媒体に記録された、人と自然の関係史を後世に伝えていくことの重要性は、今後もますます高まっていくことは間違いない。

［注記］本稿は伊達・岩城［二〇一八］と岩城［二〇二〇］といった筆者らの論考をもとに、新たな視点を加え、さらに加筆や修正を行ったものである。

**参考文献**


岩城考信
　二〇〇八　『バンコクの高床式住宅：住宅に刻まれた歴史と環境』風響社。
　二〇二〇　「タイ中部での洪水と共存するための建築的手法」『建築討論』第四〇号（Web マガジン）。
上野暉男
　一九八八　『熱帯の牛』国際農林業協力協会。
柏原孝夫
　一九八四　『熱帯の水牛』国際農林業協力協会。
小森大輔・木口雅司・中村晋一郎
　二〇一三　「タイ二〇一一年大洪水の実態」玉田芳史・星川圭介・船津鶴代編『タイ二〇一一年大洪水：その記録と教訓』アジア経済研究所　一三―三三。
伊達千尋・岩城考信
　二〇一八　「タイの洪水常襲地域にあるアユタヤ県バーンバーン地区の洪水対策の多様性」『日本建築学会中国支部研究報告集』第四一巻　七〇五―七〇八。

地図資料

Krom Phaenthi Thahan（国軍地図局）
1915/16 測量、1959 年印刷　Amphoe Phak Hai 351/4-47 Krom Phaenthi Thahan（国軍地図局）、縮尺 1:50000　アジア経済研究所図書館所蔵。

# Ⅱ　トンブクトゥにおける写本の救出活動

伊東未来

## 1　はじめに

マリ共和国北部の都市トンブクトゥには、トンブクトゥ写本（トンブクトゥ手稿）と呼ばれるアラビア語写本が保管されてきた。トンブクトゥ写本は一三世紀から二〇世紀初頭に書かれた数十万点にのぼるとされる[1]写本の総称である。

一三〜一七世紀は現在のマリの大部分を版図とするガーナ、マリ、ソンガイなどの諸王国が繁栄した時代で、トンブクトゥはサハラ以南アフリカにおけるイスラームの中心地のひとつであったため、とりわけこの時期に制作・収集されたトンブクトゥ写本には、文学・医学・法学・数学など当時の高度なイスラーム学問の記録が残されている。写本図書館に収蔵されているものの中には、一二一一年にスペインのカルタヘナに生まれた詩人・文学者のハズィム・アル＝カルタジャーニ（Ḥāzim ibn Muḥammad Qarṭājannī）の詩編や、モロッコのアル・ジャズーリ教団の創始者ムハンマド・アル＝ジャズーリ（Muhammad al-Jazuli）によって書かれた著作の写本など、数多くの歴史的に重要な史料が含まれる［Djian 2012］。

二〇一三年一月二八日、トンブクトゥの図書館に収蔵されていた写本が、この街を占拠したテロリストによって焼き払われたとの情報が、BBCなどのヨーロッパの報道機関から発信された[2]。当時現地にいたトンブクトゥ市長すら、首都バマコに退避していた市民からこのニュースを知らされ確認に奔走しなければならなかったほど混乱した状況であった［Molins-Literas 2020］。その後トンブクトゥが解放され状況が安定すると、被害にあったのはごく一部の写本であることが明らかになった。その他の多くは、図書館の職員や市民らの手によって秘密裡に首都バマコに移送されており無事だったのである。市民がテロリズムやヴァンダリズムから文化財を守った行為は、ジャーナリストによる著作［Hammer 2016; English 2017］やドキュメンタリー映像にもまとめられ、世界中のメディアで紹介された。

本章では、先行研究や当時の新聞記事、二〇〇七年にトンブクトゥでおこなった写本図書館の調査および二〇一四年に首都バマコでおこなった写本図書館関係者への聞き取り調査をもとに、トンブクトゥの住民にとって写本がいかなる意味をもつのか、またトンブクトゥ写本の移送の経緯はどのようなものだったのかをたどる。それらをふまえ、危機にさらされたアーカイブがもつ社会的意味の変遷を考察する。

## 2　トンブクトゥの歴史と写本図書館

トンブクトゥ写本はどのように制作され、保管されているのかを示すため、まずトンブクトゥの歴史を概観し、今日のトンブクトゥの写本図書館について詳述する。

### 1　砂漠の街トンブクトゥの歴史

トンブクトゥはマリ北部の都市である。マリは西アフリカの内陸国で、人口はおよそ一九六六万人（二〇一九年推

図１　マリの地図

計）、国民の約九割がムスリムである。面積は約一二四万平方キロメートルで、一〇の県(3)から構成されている。北部約三分の一がサハラ砂漠に覆われているため、人口の大部分は中部〜南部の五県および首都バマコ特別区に集中している。

本章で取り上げるトンブクトゥは、北部県のひとつトンブクトゥ県の県都である。ソンガイ、トゥアレグなどの民族集団からなる人口約五万四〇〇〇の小都市で、ほとんど雨が降らない砂漠およびサヘル地帯に位置している。一方、南部に位置する首都バマコは約二七〇万の人口を擁し、主に南部に多いマンデ系諸民族の人びとが暮らす。湿度・温度ともに高い熱帯サバンナ地帯にあるバマコでは、年間一〇〇〇ミリ近くの雨が降る。これらの異なる気候帯が帯状に連なる国土を「へ」の字に貫く形で、アフリカ第三の大河ニジェール川が流れている（図1）。

トンブクトゥは中世以降、西アフリカの外部世界とりわけヨーロッパにおいてもその名を知られる都市であった[e.g. Fernandes 1938: 85-87; Pereira 1967: 50-53]。英語では今日でも、トンブクトゥは実在する地名としてだけでなく「果てしなく遠いところ」を意味する名詞としても用いられる。"As far as Timbuktu" という表現は、「遠すぎて想像もつかない」、"From here to Timbuktu" は、「ここから地の果てまで」といった意味を表す慣用句である。二〇一二年三月にトンブクトゥを含むマリ北部でトゥアレグによる独立運動が激化した。これを報じるニュースを見て、トンブクトゥが果てしなく遠い場所を表す想像上の地ではなく、実在する都市の名前であると知り驚いた英語圏の人びとすらいたという(4)。

トンブクトゥはもともと、サハラ砂漠を遊牧する集団トゥアレグの野営地であった。トンブクトゥ（公用語のフランス語でTombouctou、英語ではTimbuktu）という地名もその起源を表しており、トゥアレグの言語タマシェクで「ブクトゥ（という女性）の井戸（タマシェク語でtim）」を表す。砂漠で暮らす人びとが水を求めて一時的に滞在する地に過ぎなかったトンブクトゥが、サハラ砂漠を超えて名を知られるほどの都市に発展したのは、八世紀頃と言われている。トンブクトゥは、豊富な金の産出を基盤として西アフリカ内陸部に展開したガーナ王国、マリ王国、ソンガイ王国などの諸王国の発展とともに規模を拡大させた。トンブクトゥの周辺は、そのすぐ南までニジェール川が流れ、北にはサハラ砂漠が広がっている。いわば水路・陸路の交差点であり、サハラ砂漠の北側のマグレブ諸国や地中海世界・中東諸国と、南側の熱帯アフリカを繋ぐサハラ交易(5)の中継地として最適であった(6)［Es-Sa'di 1981］。

トンブクトゥは、一二世紀頃には、bilad al-Sūdān（ビラード・アッ＝スーダーン、アラビア語で「黒人たちの地」を意味し、イスラーム世界の地政学的認識にもとづいたサハラ以南アフリカの一帯を指す）で最も栄えた都市であると称された［Hunwick 1999］。一三二四年には、マリ王国の王カンクー・ムサがメッカ巡礼の帰途にスペインのアンダルシアで学者を招き、トンブクトゥに現存する大モスク（ジンガレィ・ベル）を建設させた。トンブクトゥでもう一つの重要なモスクであるサンコレ・モスクも、一四世紀に交易で財を成したトゥアレグ女性の寄付によって建てられ、イスラーム学者たちが集う教育の中心となった。現在トンブクトゥ写本と総称される写本の多くは、こうした繁栄期にトンブクトゥで制作されたり、トンブクトゥに持ち込まれたりしたものである。

交易と学問で繁栄を極めたトンブクトゥであったが、一六世紀には金交易の要所を奪取したいモロッコによる侵略を受ける。ヨーロッパ諸国の西アフリカ進出により、ヨーロッパとアフリカを繋ぐ交易路は陸路から海路にシフトしたためサハラ交易も衰退し、トンブクトゥは徐々に縮小していった。

写真１　Centre Ahmed Baba で修復作業に用いる紙を仕分ける職員（2007 年撮影）

写真２　マンマ・ハイダラ写本図書館の入口（2007 年撮影）

## ２　トンブクトゥの写本図書館

現在、トンブクトゥには公立・私立合わせて五〇を超える写本図書館がある。この中でもっとも規模が大きく唯一の国立施設でもあるアフメド・バーバ・イスラーム高等研究院[7]（Institut des Hautes Etudes et de Recherches Islamiques Ahmed Baba, 通称サントル・アフメド・バーバ）は、一九七三年に設立された。開設七年前の一九六七年、ユネスコが『アフリカ史』編纂に向けてトンブクトゥで開催した会議において、マリ政府がこの機関の設立の構想を、発案した。国立ではあるがマリ政府の予算が限られていたため、設立資金は主にクウェートからの援助でまかなわれた。二〇〇一年の建物の新設も、マリと南アフリカの二国間協定により実現した。

一方の私立図書館は、一族で管理している小規模なものから、写本の修復設備や専任の職員・研究者も擁するフォント・カティ図書館（Bibliothèque Fondo Kati）、アル＝ワンガーリー写本図書館（Bibliothèque des Manuscrits al-Wangarial）などの規模の大きな施設まで開設されている。

もっとも規模が大きい私立写本図書館は、マンマ・ハイダラ写本図書館（Bibliothèque de manuscrits Mamma Haïdara）である。上述のサントル・アフメド・バーバの元館長アブデル・カデル・ハイダラが、自身の一族が一六世紀から収集・

保管していた写本を維持管理するため、一九九七年に設立した。ニューヨークに拠点を置くアンドリュー・メロン財団から開設の支援を受けるなど、サントル・アフメド・バーバ同様に、国際社会からの支援・協力が設立・運営に重要な役割を果たしている。5節で詳述するが、写本図書館設立以来の各国政府や諸外国の財団との密接な関係は、今回の写本移送とその後の保管にも活用された（写真1、写真2）。

## 3　「読める」写本――アラビア語写本に対する住民の矜持

人口五万四〇〇〇あまりの小さな街に五〇以上の写本図書館が存在することにもうかがえるように、トンブクトゥの住民の写本に対する理解と矜持は高い。

トンブクトゥで話される主要な言語のひとつに koyra chiini（コイラチーニ、「都市語」の意）がある。トゥアレグとアラブ系と並びトンブクトゥを構成する主要な民族ソンガイの人びとが話す言語であり、トンブクトゥでは民族を超えた共通言語として機能している。コイラチーニで歴史を意味するターリキ（tariki）は、アラビア語で時代、年代記、歴史書を意味する tarikh を語源にもつ。歴史書が歴史そのものと同語彙で表されるほど、街の歴史は歴史書＝アラビア語写本と密接に結びついている。

マリで話される言語の大部分は文字をもたない。マリの過半数を占めるマンデ系諸民族の社会は、文字ではなく高度に発達した口頭伝承で歴史を継承してきた。これを専有的に担う職能集団 jeli（ジェリ、フランス語でグリオ griot）は、公用語が文字をもつ言語のフランス語になり、諸民族言語のアルファベット化が進んだ今日でも、社会において重要な役割を果たしている。一方、トンブクトゥに暮らすトゥアレグやソンガイは、口頭伝承に特化した職能集団をもたない。文字史料に自分たちの過去が記されていること、それが現在も街に保管され自分たちで読むことができることは、トンブクトゥの人びとの間で自分たちと他――とりわけトンブクトゥでは少数であるがマリ全体では主流を占めるマンデ系諸民族の文化――とを差異化させる、重要な要素でもある。

マリ全体において、公用語であるフランス語の識字率は一五歳以上で三五・五％、一五〜二四歳に限っても五〇・一％[8]（いずれも二〇一八年）と低いが、クルアーン学校での学習を通じて基礎的なアラビア語の読み書きができる者も多い[9]。歴史的に北アフリカのアラビア語圏諸社会と密接な関係を築いてきたトンブクトゥでは、その傾向は顕著である。

二〇〇七年にトンブクトゥを訪れた際、複数の商店の帳簿で手書きのアラビア語が用いられていることに気づき、ある女性店員にその点を指摘した。彼女は、メモ帳に商品の値段を記録したり仕入れ元を尋ねたりしながら商店街をうろついていた筆者を、商売先の開拓に来た中国系の商人だと勘違いしており、落ち着いた口調でこう助言してくれた。「あなたも覚えた方がいいですよ。アラビア語が書けないで、どうやってここで商売するんですか？」[10]。

同じく二〇〇七年にトンブクトゥで出席した結婚式では、新郎新婦（ともにトンブクトゥ在住のソンガイ）が宣誓書にアラビア語で署名していた。その際に公証人をつとめていた市役所職員にアラビア語での署名は一般的なのか尋ねたところ、「トンブクトゥではフランス語よりもアラビア語で署名する人の方がはるかに多い。私たちにとって、これが私たちの文字だから」という返答であった。フランス語で教育を受け、普段は主にソンガイ語を話し、アラブ系の出自でもないソンガイの人びとにとっても、アラビア語は日常的に用いる「自分たちの文字」と認識されている。

実際には、トンブクトゥ写本は様々なアラビア語の方言で書かれているため、クルアーンの読み書きができるからと言って、写本を問題なく読めるわけではない。また、写本図書館の関係者や写本を所有する一族、クルアーン学校の教師以外で、日常的にアラビア語写本を読んでいる住民はほとんどいない。しかし、トンブクトゥの人びとにとって重要なのは、写本が「読める」（無文字ではない、口頭伝承に依らない）ということなのである。

また、筆者が二〇一四年二月にトンブクトゥから首都バマコに避難してきた人びとの集いに参加した際、トンブクトゥで著名なクルアーン学校を主宰する一族の男性が語った言葉は、トンブクトゥの人びとにとっての写本の位置づけを端的に表していた。彼は、植民地期以降ヨーロッパに流出したマリの仮面や彫像（主にマリ中部から南部にかけて居住するドゴンやマンデ系の諸民族のもの）とトンブクトゥ写本を比較し、このように述べている。

（儀礼に用いられるマリのマンデ系民族バマナンの象徴的仮面である）ントモ（n'tomo）がケ・ブランリー（フランスのケ・ブランリー美術館）に置かれていると自慢する者がいる。それが何だ。それは彼ら（フランス人）が奪ったということしか意味しない。それはマリ人の誰かが金で売ったということしか意味しない。トンブクトゥの本は、トンブクトゥにあった。ずっと昔から今も、私たちは守り、私たちは読んできた。それこそが重要だ。

トンブクトゥ出身の出席者たちは一様に、この言葉に大きくうなずいていた。

筆者からこの話を聞いたマンマ・ハイダラ図書館館長の表現によれば、こうしたトンブクトゥ市民の自負は「少し大げさ」である。実際には、トンブクトゥ写本が収奪や売買を免れているわけではない。その規模は不明であるが、植民地期から独立後に植民地行政官や国内外の古美術商の手によって国外流出した写本も数多く存在する。しかし、トンブクトゥの人びとにとって重要なのは、写本が「手元」（トンブクトゥの街）にあり、いつでも「読める」（無文字ではない、アクセス可能である）ということ、換言するならば、トンブクトゥにおける写本のマテリアリティなのである。

二〇一三年、その写本が危機にさらされる出来事が起きた。次節にその危機の背景をまとめる。

## 4　トンブクトゥにおける混乱と危機

二〇一二年から二〇一三年にかけて、トンブクトゥの街とその写本が危機にさらされた。この混乱は、二〇一二年四月にトンブクトゥがトゥアレグの反政府勢力「アザワド解放民族運動（National Movement for the Liberation of Azawad, MNLA）」に掌握されたことに端を発する。

トゥアレグはトンブクトゥやその近郊にも定住しているが、歴史的にはサハラ砂漠からサヘルにかけての広大な一帯で交易や牧畜に従事してきた。一九世紀には、ヨーロッパ諸国によるアフリカ分割によってその居住域が複数の植民地に分断された。現在もトゥアレグは、ニジェール、マリ、アルジェリア、ブルキナファソなど複数の国家にまたがって居住している。人口に占める割合は数パーセント（マリ、ブルキナファソ）から一割（ニジェール）程度と、いずれの国でもマイノリティである。トゥアレグは、母系制度や細分化された身分階層など、各国で社会的・政治的に主要な民族とは大きく異なる社会制度をもっている［Lecocq 2005］。加えて中央政府による定住化政策の推進や、彼らの家畜に深刻な被害を与えた旱魃も影響し、これまでも断続的に武力をともなう独立運動を展開してきた[11]。

二〇〇〇年代にはいり、トゥアレグの独立勢力は武装解除し各国中央政府と和平協定を結んだものの、二〇一一年一〇月にリビアのカダフィ大佐が殺害され長期の軍事政権が崩壊すると状況が変化した。難民としてリビアに暮らしリビア外国人部隊に在籍していた独立派のトゥアレグが、政権崩壊の混乱の中で武器を携えてマリやニジェールに帰還し、武力による独立運動が再燃したのだ。

直後はマリ軍も制圧に成功していたものの、和平協定以降軍備の強化と維持管理をおこたっていたマリ軍は、二〇一二年二月頃から徐々に独立勢力を抑え込むことができなくなった。このことに対して国民、特に北部に兵士を派遣している南部県の人びとの不満が高まり、三月には首都で軍事クーデターが起き、トゥーレ大統領（当時）は辞任に追いやられた。この軍事クーデターによりマリ軍はさらに混乱・弱体化し、三月三一日には北部ガオ県の県都ガオが武装勢力によって陥落した。

翌四月一日、トンブクトゥの市庁舎や裁判所などの公共施設もMNLAによって襲撃された。MNLAは多国籍からなるテロ組織「イスラーム・マグレブのアル＝カイーダ（AQIM）」や「アンサル・ディーン（Ansar Dine）」と共闘していたため、マリ軍や警察だけで抑え込むことはできず、市内は混乱に陥った。MNLAはその日のうちにトンブクトゥ制圧を表明し、四月六日にはマリ北部の三県（キダル、ガオ、トンブクトゥ）からなる「アザワド国家」の独立を宣言した。

しかしその直後から、北部三県の独立のみを要求するMNLAと、AQIMらテロ組織の方向性が対立し始めた。トゥアレグからなるMNLAが固有の国家設立を目指したのに対し、テロ組織はマリ全土を曲解したシャリーア（イスラーム法）にもとづいて統治することを目指していた。トンブクトゥ制圧から二か月後の二〇一二年六月には、MNLAの独立運動がテロ組織になかば乗っ取られる形で支配が進行し、AQIMとアンサル・ディーンによってマリ北部のシャリーアによる統治が布告された［Tchioffo 2015］。

テロリストの支配は、トンブクトゥ市民の生活を厳しく規制した。それまでもトンブクトゥの成人女性の多くは自発的にヘッドスカーフを着用していたが、支配後はわずかな肌の露出もしないよう、外出時の長手袋の着用が強要された。また音楽を演奏することや歌を歌うこと、歌を聞くこと、サッカーをすることなども取り締まりの対象となった。婚外の男女関係をもった者や窃盗を犯したものは、公開の石打ちやむち打ちで処罰された。

二〇一二年六月二八日、ユネスコはトンブクトゥを「危機にさらされている遺産」のリストに登録した。その直後の七月から、アンサル・ディーンは市内の三〇以上の聖者廟を破壊しはじめた。聖者の崇拝は、アッラーが唯一の信仰対象であるという教義を逸脱する「偶像崇拝」にあたるという理由からである。[12]

## 5　写本の危機と移送

トンブクトゥの図書館関係者たちは、なぜ写本も破壊行為の対象になる可能性があると考えたのか。どのように写本を移送したのか。二〇一四年二月二七日におこなったマンマ・ハイダラ図書館館長のアブデル・カデル・ハイダラへのインタビュー調査をもとに詳述する。

ハイダラが写本も破壊や略奪行為の対象となると感じたのは、テロリストがトンブクトゥを制圧した直後だった。テロ組織の「広報担当」はラジオとテレビを通じて、「誓って写本に危害は加えない」「我々は写本の価値を知っている」と主張していた。これを聞いた彼は、「わざわざ言及するということは、狙っているとしか思えない」と考えたという。写本の中には、自由な性愛を称えた詩編や音楽を賛美する書物なども含まれており、これらの内容がテロリストに「非イスラーム的」だと判断されるかもしれない。また、美術的価値の高い写本は市場で高値で取引されるため、テロリストが資金源の確保のために略奪する可能性もあると考えた。

そこで彼は、自身が代表を務めトンブクトゥの二〇の図書館で構成する連盟SAVAMA-DCI（la sauvegarde et la valorisation des manuscrits anciens pour la défense de la culture islamique）の関係者に連絡し、今後の対応を協議した。それと並行して、これまでの活動で知り合った国外の研究者や国際NGOの関係者に電話で状況を説明し、今後起こりうる事態への協力を仰いだ。他の図書館関係者との数日間の話し合いの結果、図書館から運び出して市内の民家や砂漠の中に分散させることが決まった。

まず、運び出すための箱として、頑丈で万が一の浸水に耐えうる金属製のケースを使うことにし、その調達に動いた（写真3）。こうしたケースは、マリでは衣服や家財道具をしまう箱として一般的に用いられている。テロリストの占領下でも商店はこれまで通り開いていたが、テロリストによるパトロールがおこなわれていたため、一度に大量に購入すれば目をつけられる可能性がある。そこで、毎日数十人で手分けをして一人数個ずつ調達し、一か月後におよそ二五〇〇個を入手した。箱の調達と同時に、写本の隠し先の民家を決めるため、図書館関係者の親族や知人など信頼できる人びとをリストアップし承諾をとりつけた。情報がテロリストに漏洩することを避けるため、ごく限られた人数で作業を進めた。

四月に入り、各図書館で写本を箱に詰める作業にとりかかった。この頃にはＡＱＩＭによって夜九時以降の外出禁止令が出ており、夜間の電力もコントロールされていた。そのため作業は、動きが目立つ昼間と真っ暗になる夜を避け、「マグレブの礼拝のあたり」（日没後の薄暮時）から夜九時までの間におこなわれた。少しでも早く運び出すため、書庫での分類は無視し、緩衝材もないまま詰め込むしかなかった。数箱ずつロバ車に乗せ、協力者の民家に運び込んだ。パトロールしているテロリストの警備隊に見つかり窃盗の容疑で逮捕された者もいたが、その後のシャリーア法廷で何とか自分の所有物を移動させていただけであることを立証し、処罰は免れた。

写真3　移送時に使われた衣装ケースに入ったままの写本を見せてくれるハイダラ館長（バマコ、2014年撮影）

八月頃になるとトンブクトゥの人びとは、支配側の戦闘員が不足していると感じるようになった。その数か月前にトゥアレグ独立勢力のＭＮＬＡとテロ組織ＡＱＩＭ・アンサル・ディーンが分裂したこと、トンブクトゥの人口の四割程度を占めていたトゥアレグとアラブ系の住民が、テロリストと同一視され報復されることを恐れ街から避難したことが影響していた。

当時トンブクトゥはテロリストの支配下にあったものの、街の内外の往来は制限されていなかった。トンブクトゥから中部のモプチ県を通り、南部の首都バマコまで繋がる国道での検問所も、人員不足のため数が減り、荷物のチェックも手薄になっていた。そこでハイダラらは、このタイミングでバマコへの移送の作業にとりかかることを決めた[13]。

何百台もの車両の手配・修理・ガソリン代にかかる費用や運転手の人件費、テロ組織の警備員に支払う「通行料」(賄賂)を、外国からの支援金でまかなった。ハイダラらはこの頃までに、オランダのクラウス王子基金、オランダ国営宝くじ財団などから約一〇万ドルの寄付を取り付け、バマコの銀行口座に入金していた。連日数台ずつの車が、民家に隠していた箱や図書館から新たに運び出した箱を乗せ、およそ一〇〇〇キロメートルの悪路をバマコまで南下した。箱は衣類や干し魚入りの大袋で覆ったり、わざと乱雑に乗せたりしてカモフラージュしていたが、検閲で箱を漁られ、「テロリストの気まぐれな」通行許可が出るまで数日間の足止めを余儀なくされたこともあったという。写本はこのように段階的にトンブクトゥの主要な写本図書館から運び出され、最終的には数十万点がバマコに移された。

テロ組織によるマリ北部の掌握から約八か月後の二〇一三年一月一〇日、それまで北部のみを支配していたＡＱＩＭが南部に向けて侵攻を開始した。首都バマコを含むマリ全土がテロ組織の支配下に置かれる危機を感じたマリ暫定大統領ジョクンダ・トラオレ(当時)は、フランスのオランド大統領に軍事支援を要請した。翌一一日にフランス軍がマリ北部のテロ組織の拠点に対して空爆を開始し、二週間後の一月二八日にトンブクトゥは解放された。

解放後、テロリストたちが遁走する際に放火した写本図書館の様子を見て、事情を知らない国内外の人びとは、トンブクトゥの貴重な写本の多くが焼失したと考えた。しかしその時点で写本の大部分はすでにバマコに移されており、ハイダラをはじめとした図書館関係者は、今後の写本の扱いについてバマコでマリ文化省やユネスコと調整を始めていた。

## 6　おわりに

テロ組織の一員を「ジハディスト〔ジハード主義者〕」と言いかけて「いや、彼らはイスラームのことを何も知らないからテロリストに過ぎない」と言い直したり、「〝通行料〟〔賄賂〕をはずめば彼らは静かになった」と表現したりするなど、移送の様子を語るハイダラの語りは、テロリストに対する精神的な優位性を感じさせるものであった。ハイダラとともに移送作業をおこなったサントル・アフメド・バーバの職員アルフレッド・カランブリの語りにも、同様の余裕がみてとれた。サントル・アフメド・バーバは市内に点在する三つの建物からなり、うち一つはトンブクトゥがテロリストの支配下に入った直後から、テロ組織の拠点として利用されていた。職員の立ち入りは制限され、部屋には武器が保管され、戦闘員が寝泊まりしていた。フランス軍の空爆を受けてテロリストが撤退する際に火を放ったのも、この建物に残されていた写本である。

二〇一四年三月三日におこなったインタビューで、カランブリは時折笑いをこらえながら以下のように述べている。

多くの写本は〔テロリストが使用していた建物の〕地下の倉庫に保管されていた。彼らは地下室の存在に気づかなかったのか？　そうではない。面白いことに、〔地下室にあった〕木のテーブルが燃やされていたんだ。トンブクトゥの夜は寒い。テーブルを燃やして暖をとったのだろう。いずれにしても、大部分の写本は無事だった。そこで私は気づいた。そうか、彼らはアラビア語が読めなかったのだと。読んでも理解できないものに、関心はないのだから。もう一つ、面白いことを教えてあげよう。地下室にはビールの瓶も転がっていた。なんてことだ。彼らはアラビア語が読めず、アルコールをたしなむジハディスト。

三節で示した、南部の諸社会に対する北部トンブクトゥの人びとのアラビア語写本を通じた差異化が、写本の救出についての語りの中では、無知なテロリストよりも知的・宗教的に成熟したトンブクトゥ市民という構図をとって現れている。

写本の救出活動は、トンブクトゥの人びとにとって、「イスラーム学術都市トンブクトゥ」という表象を再強化する出来事であった。しかし、テロリストの支配から解放されたとはいえ、二〇二三年現在もトンブクトゥの治安は回復していない。ユネスコとマリ文化省がハイダラらとの協力のもと、バマコに保管されている写本の電子化プロジェクトを進めている。写本がいつトンブクトゥに戻されるのかの目途は、立っていない。

住民にとって「トンブクトゥにある」ことでその象徴的意義が高められていた写本は、国際機関や諸外国の文化財団の力学のなかで今後どのように維持管理されるのか。また、コミュニティの中での価値づけはどのように変化していくのか。今後も調査を続けていきたい。

註

（1）トンブクトゥ写本の数は数十万点にのぼるとされるが、国立の写本図書館や規模の大きな私設図書館に収蔵されているもののほかに、民家で代々継承されているものも含まれるため、その正確な点数は明らかになっていない。

（2）BBC二〇一三年一月三〇日 “Mali conflict: Timbuktu manuscripts destroyed” https://www.bbc.com/news/world-africa-21257200, RFI二〇一三年一月二八日 “Islamists burn priceless manuscripts as French-led troops surround Timbuktu”, https://www.rfi.fr/en/africa/20130128-islamists-burn-priceless-manuscripts-french-led-troops-surround-timbuktu（いずれも二〇二三年三月二日最終アクセ

ス）

（3）本章で主に論じる二〇一二年～二〇一四年当時県の数はカイ、クリコロ、バマコ特別区、シカソ、セグー、モプチ、トンブクトゥ、キダル、ガオの八つであったが、二〇一六年にタウデニ（旧トンブクトゥ県の一部）とメナカ（旧ガオ県の一部）が設定され一〇となった。

（4）BBC News 二〇一二年四月三日 "Who, What, Why: Why do we know Timbuktu?" (http://www.bbc.co.uk/news/magazine-17583772、二〇二三年三月二日最終アクセス）

（5）トランス・サハラ交易はその交易品から塩金交易とも呼ばれる。トンブクトゥの北側から西アフリカ内陸部にもたらされる主な交易品は、地中海世界から運ばれてくる織物や金属製品、サハラ砂漠の中にある塩鉱から掘り出される岩塩であった。これらの交易品はトンブクトゥ近郊のニジェール川の港でラクダからカヌーに積み替えられ、川を遡って西アフリカ内陸部に運ばれていった。一方、西アフリカのサバンナ地帯や熱帯の金鉱で採掘された金はその逆のルートをとり、ニジェール川―トンブクトゥ―サハラ砂漠―地中海を経由してヨーロッパ諸国にもたらされた。マリ王国の最盛期にあたる一四世紀頃、西アフリカは旧世界の金の三分の一をまかなっていたと言われる。その大半はトンブクトゥを経由して輸出され、フィレンツェやジェノヴァなどで金貨に鋳造された［坂井 二〇一五：一四四］。

（6）エス＝サーディ（Abderrahman ben Abdallah ben Imran ben 'Amir Es Sa'di）は一五九四年頃にトンブクトゥに生まれ、西アフリカ内陸部の諸都市（トンブクトゥ、ジェンネ、マーシナ）で公証人として勤め、一六五五年頃にスーダーン（後述）の歴史を記した歴史書 Tarikh es Sudan を著した［Bovill 1958］。この本の写本は、一八五三年にイギリス政府の命を受けトンブクトゥを訪れたドイツ人探検家ハインリヒ・バルトによって発見された。

（7）トンブクトゥの住民はこの図書館を、開設当時の名称 Centre de Documentation et de Recherches Ahmed Baba から今も Centre Ahmed Baba と呼ぶため、本章でも以下ではサントル・アフメド・バーバと表記する。

（8）ユネスコの国別データのマリの項目より。http://uis.unesco.org/en/country/ml（二〇二一年七月一〇日最終アクセス）

（9）マリのアラビア語の識字率は調査されていないため不明である。二〇一三年のマリ教育省の発表によると、国内のクルアーン学校は三六五八校、教師は四六五二人、生徒はおよそ一一万人である。もっとも多くクルアーン学校に通う学齢の子ども（五～一四歳）の人口が二〇一三年当時で約二二〇万人なので、単純計算するとマリの子供の二〇人に一人がクルアーン学校に通っていることになる。普通学校の入学率が低かった一九九〇年代までは、普通学校に通わずクルアーン学校のみに通う子どもも多かったため、この割合はより高かったと推測される。

（10）工業製品や加工食品をナイジェリアやガーナから仕入れることの多いマリ南部の商店とは異なり、トンブクトゥの商店にはパッケージにアラビア語が表記されたアルジェリア製の製品も多くみられる。また、店舗の看板のフランス語とアラビア語の併記も、南部に比べて一般的である。

（11）一九六二～六四年に起きた第一次トゥアレグ抵抗運動の際には、弾圧を逃れた多くのトゥアレグがリビアに避難した。トゥアレグの一部は、西アフリカの軍事的・宗教的統一を目指していた当時のリビア指導者カダフィが組織した外国人部隊に入隊し、軍事訓練を受けていた。リビアに逃れていたトゥアレグの一部は一九八八年頃からマリやニジェールに帰還したが、リビアで軍事訓練を受けていたトゥアレグが中心となり、帰還先でも独立運動が継続された。

（12）国際刑事裁判所（International Criminal Court）はこの破壊行為を戦争犯罪とみなし、アンサル・ディーンの元メンバー、アハマド・ファキ・マハディを起訴した。二〇一六年九月二七日に被告に禁錮九年の判決が言い渡された。宗教建築や歴史的建造物に対する攻撃の刑事責任を追及するICC初の裁判であった。（https://www.icc-cpi.int/CourtRecords/CR2016_07245.PDF（二〇二三年三月二日最終アクセス））

（13）当初は陸路での運び出しと並行して、より検閲が手薄な水路（大型カヌーに乗せてニジェール川をバマコまで航行）での輸送もおこなったが、写本が水没するリスクが高かったこと、陸路での輸送費用調達の目途が立ったことから、水路での輸送量は極力減らしたという。

## 参考文献


Bovill, E.W.
1958 *The Goledn Trade of the Moors*, Oxford: Oxford Univfersity Press.

Dijian, Jean-Michel
2012 *Les Manuscripts de Tombouctou*, Paris: JC Lattès.

English, Charlie
2017 *The Book Smugglers of Timbuktu*, Glasgow: William Collins.

Es-Sa'di, Abderrahman ben Abdallah ben Imran ben Amir
1981 *Tarikh es-Soudan*（traduit par O. Houdas）, Paris: Adrien-Maisonneuve.

Fernandes, Valentim

1938 *Description de la Côte occidentale d'Afrique de Ceuta au Sénégal*, Paris: Librarie Larose.

Hammer, Joshua

2016 *The Bad-Ass Librarians of Timbuktu and Their Race to Save the World's Most Precious Manuscripts*, New York: Simon & Schuster.

Hunwick, John

1999 *Timbuktu and the Songhay Empire: Al-Sadi's Tarikh al-Sudan Down to 1613 and Other Contemporary Documents*, Leiden: Brill.

Lecocq, Baz

2005 "The Bellah Question: Slave Emancipation, Race, and Social Categories in Late Twentieth-Century Northern Mali", *Canadian Journal of African Studies*, 39（1）: 42-68.

Molins-Lliteras, Susana

2020 "Iconic Archive: Timbuktu and Its Manuscripts in Public Discourse," Carolyn Hamilton and Lesley Cowling（eds.）, *Babel Unbound: Rage, Reason and Rethinking Public Life*, Johannesburg : Witwatersrand University Press.

Pereira, Duarte Pacheco

1967 *Esmeraldo de situ orbis*（translated and edited by George Kimble）, Nendeln : Kraus Reprint.

Tchioffo, Kodjo

2015 *Mali Conflict of 2012-2013: A Critical Assessment*, London: Lambert Academic Publishing.

坂井信三

二〇一五 「トンブクトゥ――中世イスラーム文化の遺産」竹沢尚一郎編著『マリを知るための五八章』京都：昭和堂、一四三―一四七頁。

［注記］本稿は、西南学院大学『国際文化論集』三六巻一号所収の論文「トンブクトゥにおける写本の救出活動」に加筆修正をしたものである。

# Ⅲ　ガーナ南部の看板絵と芸術実践から読み解くアーカイブ

森　昭子

## 1　はじめに――残らない看板絵

アフリカでは道を歩いていると手描き看板をよく見かける（写真1）。看板絵とは、絵と文字により構成され、非識字者へのサインの役割を果たすもので、商店の軒先に掲げられたり道端に立てられたりすることにより商品やサービスを知らせる。インパクトのある文句や店名とともに強烈な絵で街の景観を彩る看板絵だが、役目を終えると上塗りされて別の看板に生まれ変わるため、過去の看板絵は残らない。また看板絵は基本的に屋外に設置されるため、熱帯気候の過酷な環境では材質が劣化しやすく、保存もされてこなかった。そして看板絵師のうち自ら手掛けた看板の枚数や種類、モチーフ等を詳細に記録している人はほぼいない。多くの絵師は記憶を頼りに豊かな思い出話をしてくれるものの、記録簿をつける習慣はない。西アフリカではおもに口頭伝承により歴史や祖先の物語が紡がれてきたため、大事なものは人々が語り継ぐことにより伝わり、残されてきた（第Ⅱ章第3節を参照）。植民地化以降、学校教育が普及し、識字率は向上している。しかし市井の人々が暮らす生活レベルで、文字や書物によって身辺を記録する習慣や制度が浸透しているとは言いがたい。現地に行けば街中で面白い看板絵に出会える一方で、過去の記録や保存物をたどりにくいことは、看板絵研究者にとっては大きな課題だ。

近世日本の浮世絵は、時事ニュースや事件を伝える浄瑠璃や歌舞伎といった大衆芸能と合わせて発展した視覚情報、いわば当時のメディア媒体であった。浮世絵は日常を彩る一部であり、読まれて役目を終えるとちり紙同様にして使用された。そのようにして陶器を包んで輸出の際に使われたものが、欧州で注目され「ジャポニズム」の源泉となったのは有名な逸話だ。浮世絵のコレクションの多くを有するのはボストン美術館など海外の収集機関である。日本国内では生活の一部であり大衆芸能と接続したメディア媒体だったが、その職人業や独特の表現方法、審美的価値が欧米の美術鑑定人により見出された訳だ。こうして外国で作品として収集され、企画展や常設展が催され、カタログが制作されたことにより、いまや巡回展は日本本国にも帰還し、集客数の多い人気展覧会の一つになっている。

写真１　アクラの街中の肉屋の立て看板

現地では記録や保存が為されず残されてこなかった造形物が、欧米の芸術家や批評家により価値を見出され物そのものや情報が集積され、アーカイブが構築される。これは非西洋の諸芸術においてよく見られる現象である。それは植民地時代の収奪の歴史、つまり自らの声や語りを奪われ、情報集積が欧米の蒐集家や収集機関に委ねられてきたことの裏返しでもある。そうした歴史の延長線上に今日の同時代作家が存在する。換言すればアート化の過程とは即ち、広大なアート・アーカイブに組み込まれ、位置付けられ、価値付けされることでもある。こうした欧米のいわゆる美術関係者により構築されたアーカイブを、現地のアフリカ人芸術家たちはどのように捉え、戦略的に利用しているだろうか。現地のアフリカ人芸術家――卓越した美術的技芸と眼識をもち、優れた商売人、教育的指導者でもあり、ときに美術史家も兼ねる存在である彼らを、本章ではアフリカ人美術匠と呼ぶことにしよう。看板絵アーカイブは、一切を欧米の美術関係者の手に委ねられているのだろうか。アフリカ人美術匠が自ら編むアーカイブがあるとすれば、それは一体どのようなものだろうか。彼らの芸術実践と、主体的に編纂されたアーカイブは、いかに相互参照の可能性があるのだろうか。このような問いと関心をもって本章を進めていきたい。

## 2 欧米博物館におけるアフリカ看板絵のアート化

アフリカの都市を彩る路上の名物看板は、訪れる外国人の目を惹き、土産物としてだけでなく、一風変わったキッチュなアート作品として見られるようになっていった。それまではアフリカンアートといえば、仮面や木像などが有名だった。これらはプリミティヴアートとも呼ばれ、パリの前衛芸術家を魅了し「プリミティヴィズム」という一大ムーブメントを引き起こした。他方で西洋側のアートシーンでも、レディメイドやポップ・アートが旋風を巻き起こすなど、かつての芸術観や規範が覆されていった。従来の審美観にはそぐわない複製品や、アーティストが意図的に企て演出する模倣により、芸術の枠組みそのものを破壊し、逸脱し、乗り越えていくことが芸術の至上命題となっていく。その一九六〇年代の混沌を哲学者アーサー・ダントーは「芸術の終焉」と形容し［Danto 1998］、その後に続くボリス・グロイスは「芸術の新たな始まり」と位置づける［グロイス 二〇一七］。グロイスによれば、絶えず更新を続けるミュージアム・アーカイブ空間は、かつてのような芸術の墓場ではなく、過去の蓄積を参照して「新たな差異」を創出し、新たなイメージが社会的承認を求めて闘うアリーナであるという［グロイス 二〇一七：四〇—七四、三二一—三三〇］。

そうした美術史の流れの中に、看板絵のアート化に寄与した二つの決定的な展覧会がある。一九八九年、パリ

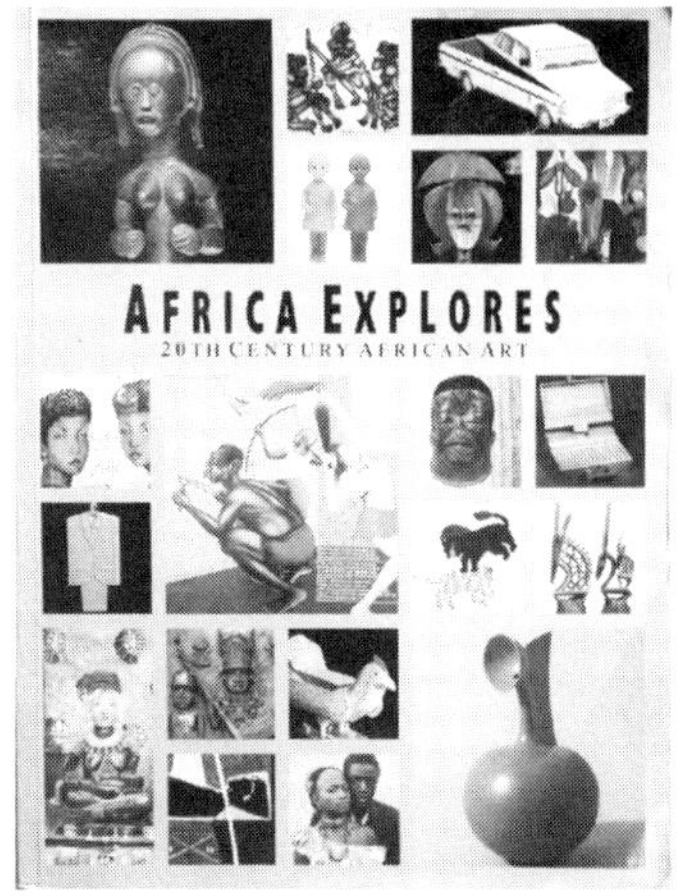

写真２「Africa Explores」展覧会カタログ（Vogel 1991）

のポンピドゥー・センターで「大地の魔術師」展が開催され、ガーナの装飾棺桶、ナイジェリアのセメント墓標など、西洋文化の影響を受け土着文化と融合したハイブリッドな造形がアートとして取り上げられた。非西洋の造形が西洋の近代美術の殿堂で取り上げられたことはエポック・メイキングだった一方で、その取り上げ方と、取り上げられなかったアフリカ近代美術の存在が指摘され、鋭く批判された［クリフォード 二〇〇三、吉田＆マック 一九九七］。その後、スーザン・ヴォーゲルが「大地の魔術師」展への応答として一九九一年に大西洋の対岸ニューヨークで「アフリカン・エクスプロアーズ」展を開催した（写真2）。ヴォーゲルは本展でアフリカンアートの歴史的文脈、文化的背景、そして現代的な動向を丁寧に提示した。その中で看板絵は「アーバン・アート」として都市化に伴う新たなアートの形態として位置づけられ、社会的承認を得たのだった［Vogel 1991］。

欧米の美術館や美術関係者から成る中心的なアートワールドが、一方的に非西洋の造形の何がアートとして分類されるのかを規定する――こうした構造は、時に史実や当事者の語りを暴力的に消し去ってしまう。しかし翻せば、現地の人々にとっては、ある特定イメージがいかに社会的承認を得ているのか仕組みが分かれば、大きな商機にもなり得る。彼らはその言説を逆手に取って、絵筆のみならずカタログをも武器にして、創作活動に励むのである。

例えば二〇〇三年にパリのダッパー美術館が開催した「Ghana: Hier Et Aujord'hui = Yesterday Today」という展覧会がある（写真3）。これはダッパー美術館が所有するガーナのアート作品全般を網羅した企画内容で、展覧会カタログの表紙にはテラコッタの人像と、その背景にはアサンテの人々にとって象徴的な存在である喪服を着た王母が

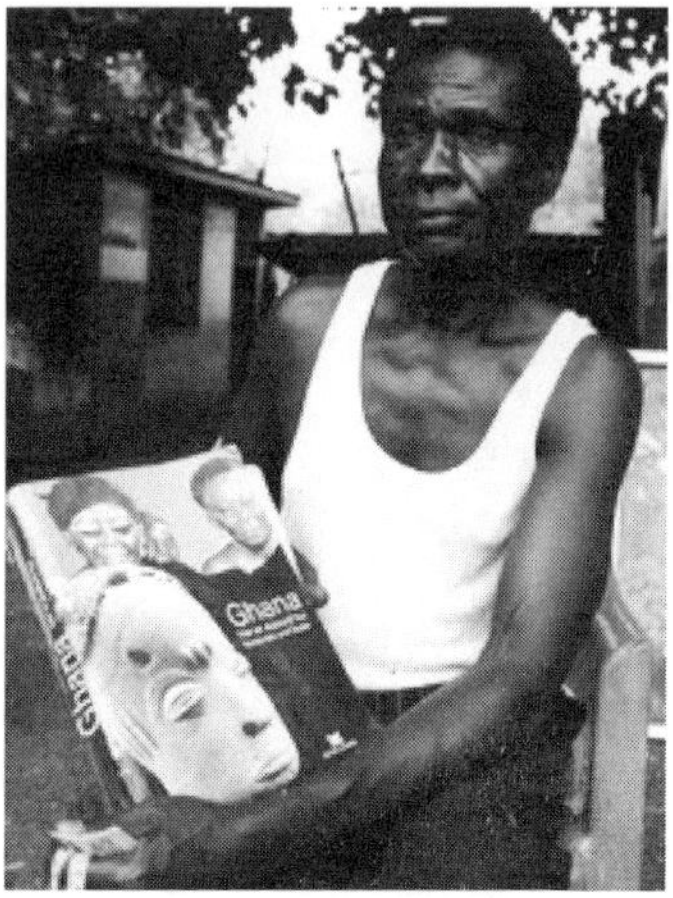

写真３　展覧会カタログ（Musee Dapper 2003）を誇らしげに掲げる看板絵師クワメ・アコト

居並ぶ。ガーナを代表するアートテーマとして選ばれたことを作り手は誇りに思っている。カタログ掲載作品は「Nana Afua Kobi Serwaa Ampem II Queen Mother of Ashanti」というタイトルで、王母の名前が記されている。看板工房の軒先に、ファサードに、あるいは空高くに、宣伝のため絵師は数多くの肖像画の看板絵を飾るが、アサンテ王母やアサンテ王といったアカンの人々にとっての象徴的存在も人気テーマの一つだ。パリの美術館のアート・アーカイブに組み込まれ、カタログに掲載され権威づけられた主題は、絵師自身の強固なアサンテ的アイデンティティとも相まって、積極的に喧伝され更なる人気を呼び、いくつもの複製画が制作され、絵師のレパートリーとなる［森　二〇二〇：五八―六〇］。次節ではこのように欧米のアートワールドにおけるアフリカ看板絵のアーカイブ化の事例とその多様な利活用についてみていきたい。

## 3　欧米アートワールドにおけるアフリカ看板絵のアーカイブ化

### 1　美術館や展覧会のカタログ

ガーナの看板絵師たちは、展覧会カタログや雑誌を工房で大切に保管している。入手経路としては、カタログや雑誌の発行者や執筆者が、看板絵の作り手たちに寄贈することが殆どだ。これらは絵師の過去作品の記録媒体であると同時に、作品や作家性の外的評価であり、顧客への恰好のアピール材料だ。現地の工房に外国人訪問客や現地人の注文客が初めて訪問すると、冊子を見せながら自分のどんな作品が掲載されたか、自分がどのように評価されたかを語って聞かせ、過去作品や評価への記憶を想起する。こうしたカタログや雑誌の多くは一般公開を目的としており、インターネットを通じて世界中からアクセス可能で、在庫さえあればいつでもどこでも購入することができる。いわば欧米アートワールドにより構築された、誰にでも購入可能なアーカイブといえるだろう。

ガーナの気候は印刷物を保管するには不適切な自然環境であることこの上ないのだが、現地工房では実に多くのカタログや雑誌が大切に保管されていて、折に触れて絵師が訪問客に見せる。首都アクラ近郊の工房でよく目にしたカタログの一つが、『エクストリーム・カンヴァス――ガーナの手描き映画ポスター』［Wolfe & Barcker 2000］だ（写真4）。米国人ギャラリスト画商、アーニー・ウォルフ三世が自身のコレクション約三百点の映画ポスターを三百頁の冊子にまとめ、その作者である十一人のガーナ人看板絵師一人ひとりの来歴や特徴、インタビューを掲載したものだ。彼はまた西ロサンゼルスの自宅兼ギャラリーと、周辺のアフリカンアートギャラリーとの協働により、ガーナの映画ポスターの展覧会を開催している。カタログ序論は、米国における初期アフリカンアート研究の基礎を築いた故ロイ・シーバー教授が執筆し、文学及び映画評論家、小説家や芸術家など豊かな顔ぶれの十二人の執筆者が寄稿する。ハリウッドを擁する映画文化の豊かなカリフォルニア州で生まれ育ったウォルフの感性と生い立ち、人脈ならではのコレクションとギャラリー運営、展示企画とカタログだといえるだろう。インターネット・インフラがアフリカを席巻する二〇〇〇年代以前、アフリカの都市部で映画が盛んに上映され、手描き映画ポスターが街中を飾った時代の、貴重な情報集積といえる。当時の奇抜でシュールな映画ポスターは、興行が終わると塗り替えられて別の興行のための看板やポスターに生まれ変わるため、現

写真4 「Extreme Canvas」展覧会カタログ（Wolfe 2000）

地で保存され残されることはほぼなかった。よって欧米のコレクターやギャラリスト、研究者らが情報集積の主体でもあったのだ。

このような欧米のアートワールドにより構築されたアーカイブは作品記録や外的評価以外にも、現地で新たな使われ方をすることがある。『マミワタ――アフリカとディアスポラにおける水の精霊の芸術』〔Drewel 2008〕は、米国内の美術館五箇所の巡回をした、アフリカ西部と中部の沿岸部で信仰される水の精霊像にまつわる展覧会のカタログだ。アフリカ英語圏では「マミワタ」、仏語圏では「セイレーン」と呼ばれる半人半魚の女性の精霊は、人像や船首といった彫刻、壁画や絵画、あるいは社の祭壇など、多様な造形が祀られ、飾られ、人々の生活や信仰とともに在る。マミワタは看板絵の人気テーマでもある。注文に応じて、あるいは絵師の創作で、既存のマミワタ像を再生産したり、象徴的な蛇や衣装、ポーズなどの細部のディテールを踏襲したりするため、このカタログは看板絵の制作資料として工房で参照され利活用されている〔森 二〇二〇：五二〕。(2)

## 2 オークションハウスのカタログ

他方で、アクセスが制限されているようなカタログは、現地の絵師が利活用することが出来ない。例えば、「セカンダリーマーケット（二次流通）」と呼ばれるアートオークション等において彼らが情報にアクセスできる機会は、限定的である。オークションハウスによる査定評価額等の情報が収められたカタログは、特定会員のみがアクセスできるものであることから、ローカルな絵師が現地の工房で保有したり、顧客に見せたり、資料にして活用することはない。そもそも看板絵が掲載されることがほぼないので、これまで参照される機会もなかった。看板絵師は著者や発行者からの寄贈を受けてカタログを入手するので、発行元であるオークションハウスやその関係者が直接作家に送付しない限り、看板絵師の手元に届かないし現地工房にも存在しえない。そして掲載価格は、現地工房での交渉価格とはかけはなれている。

パンデミック以前に「1‐54」[3]や「TOKYO ART FAIR」[4]を通して知り合ったキンシャサ出身のある青年は、私にオークション・ハウス「ボナムス」[5]のアフリカンアートのカタログを見せてくれた［Bonhams 2019］（写真5）。彼曰く、欧州各国にいるアフリカ人ディアスポラの二世、三世が、アフリカンアートの大きな購買力となっているとのことだった。彼は不動産投資組織のマネージャーで、キンシャサで活躍する若手芸術家や南アフリカで予定する展示企画を熱心に説明した。彼が私に見せたボナムスのカタログは「モダン&コンテンポラリー・アフリカンアート」の二〇一九年発行のカタログだった。その年の大きな話題は、前年に北ロンドンで偶然発見されたナイジェリア作家エンウォンウォによる女性の肖像画が、約二億円で競り落とされたことだった。青年は「アフリカの『モナリサ』とも言われる、ロイヤルファミリーの女性の肖像画で、ブラック・アフリカのアートで至上最高価格だ[6]」と熱っぽく語った。

ある見開きページで筆者は手を止めた。そこには、ガーナを代表するアフリカ人美術匠、クワメ・ンクルマ科学技術大学美術学部の名誉教授、アーティスト・アリアンセ・ギャラリー館長の、アブラデ・グローバーによる群集を捉えた特徴的な筆致の作品が掲載されていた。その隣に、見慣れた名前と彼独特の看板絵が二点掲載されていた。クワメ・アコト、通称オールマイティ・ゴッドの「人間の七つの大罪」と「妖術師の巣窟[7]」だ。彼のキリスト教福音伝道の思想やガーナで広く信仰され土着化したペンテコスト派の信仰が表現され、オールマイティの看板絵によく出てくる悪魔的な精霊が登場する。現在の

写真5　東京でインタビュー中に見せてもらったオークションカタログ（Bonhams 2019）

所有者は一九九七年に入手したと記されている。

このカタログはタイトルが示すとおりアフリカの近現代美術作家の、二〇一九年時点までの作品を総括した流通市場における査定価格の情報集積といえよう。当時、クワメ・アコトは自身の作品が掲載されていることを知らず、カタログも工房にはなかった。こうした流通市場の資料をガーナ現地の絵師が入手することは困難で、オークションカタログが販売価格を交渉する際に参照されたり、その情報が利活用されたりすることはない。絵師は基準となる大まかな価格帯を自ら想定していて、販売の価格交渉は購入者の来歴や属性、作家との関係性などによって様々である。そしてオークションハウスのカタログや掲載価格は、ほとんどの現地の絵師にとっては遠い世界の話で絵に描いた餅である。第一、数倍にも跳ね上がった落札価格は現地の絵師の懐には入らないし、現地での交渉価格と大きく乖離する。これは欧米アートワールドにより構築されたセミクローズドなアーカイブで、現地絵師が参照や利活用をすることがない例といえよう。

## 4　アフリカ人美術匠による看板絵のアーカイブ化

これまでは欧米の美術館、ギャラリスト、オークションハウス等、欧米のアートワールドがいかに非西洋の造形を位置付け価値付けを行うか、その情報集積が公開されて現地で参照され活用されるものから、セミクローズドで現地には裨益しないものまで見てきた。それに対して本節では、非西洋の側、つまりアフリカ美術匠の側から、自らのアートの歴史を編み、物語り、意味づけをするようなアーカイブの存在を指摘する。

### 1　西洋的視点を内在化しながら、西洋とアフリカ／ガーナを架橋するアーカイブ

アクラ出身のガーナ人芸術家にアタ・クワメがいる。アタは双子の男の子、クワメは土曜生まれの男子を意味する名付けが示すように、彼はアサンテの出自をもつ。絵画、版画、彫刻など様々な形態のアートを手掛け、美術史家でもある彼のスタイルは、概して抽象的で、その源泉はガーナ土着の建築や壁画、ケンテ織物などにある。彼の『クマシ・リアリズム　一九五七‐二〇〇七――アフリカのモダニズム』という著作、すでに作家として多数の作品を輩出した後に取り組んだ博士論文の研究成果で、西アフリカの要衝地であったクマシの都市芸術を独自の観点から分析しその芸術実践を実証したものである（写真6）。ナイジェリア美術史が専門でアフリカ美術史に関する多数の著作をもつジョン・ピクトンが寄せた序文では、冒頭で「大地の魔術師」展がもたらしたものはネオ・プリミティヴィズムだと厳しく批判し、アフリカ及びガーナ現地のアートワールドにもたらされた分断の指摘から始まる［Picton 2013］。これはアフリカ美術研究が概して欧州で発展し、収集や収蔵といった物理的な記録と、歴史を編み記憶しそれを想起し語る主体が欧米アートワールドに委ねられてきたことへの憤りに他ならない。(8)

写真6　特徴的な抽象画が表紙の『Kumasi Realism』（Kwami 2013）

クマシはもともとアサンテ王国の王都として地域的、国家的、国際的なハブ都市として発展してきた、地域文化の中心地であった。アタ・クワメはこの現地アートワールドの分断の指摘を踏まえた上で、だがしかし、大学美術教育により輩出された芸術家と、都市型看板工房の訓練により生まれた商業画家や看板絵師の活躍が、クマシを芸術都市たらしめてきたと主張する［Kwami 2013: 24-63］。アタ・クワメは、音楽家の父親と芸術家の母親をもち、美術教師でもある母の転勤にしたがいガーナ各地を転々としながら育ち、ガーナと英国で美術教育を受けて芸術家になった。つまり近代西洋的なアートワールドの視点を内在化し、かつ非西洋＝アフリカとを架橋する位置づけにある、アフリカ人美術匠といえるだろう。西洋美術の鑑識力と審美眼を備え、かつガーナで育ち芸術家となったアサンテ人としての視点で、大学の美術教育と工房の技芸と訓練、そして芸術家と工房絵師の横断的な芸術実践を分析した本著は、それ自体がガーナ美術史と美術教育、そして芸術実践の貴重なアーカイブといえるだろう。アタ・クワメはクマシには一〇〇以上の都市型工房があると主張し、同著では四人の大学芸術家、四人の工房絵師、そして大学と工房の双方の訓練経験をもつ三人の芸術家を紹介するなど、大学芸術家と工房絵師を数字上でも等価に扱い例証した。

「大地の魔術師」展以降、分断されたと指摘される現地のアートワールドだが、二〇〇〇年代にアタ・クワメの研究が大成し、二〇一〇年代に同著が出版されたことは、大学芸術家と工房絵師がクマシで相克しながらも共生してきたつながりの証左に他ならない。大学創設、都市化による工房創出、そして写真や映画、ビデオ等といった新たなメディアの登場が現地アートワールドに大きな影響を与えたが、大学芸術も工房実践も、双方とも技術革新の興隆とともに新たな芸術実践を発展させている。数多の芸術家を輩出する大学都市と、路上を彩る強烈な看板絵の双方がクマシの都市芸術の大きな特徴であることを、ガーナ人自らが声を上げ、意味づけた意義は大きい。西洋アートワールドの視点を内在化したアタ・クワメの仕事は、アサンテ人としての経験と歴史を紡ぐことにより分断の糸を縒り合わせた、アフリカ看板絵のアーカイブの在り方を示しているだろう。

## 2　写真カタログとインスタグラム

ガーナ人自身による看板絵と芸術実践のアーカイブ化の端緒はアタ・クワメの研究からも分かるが、では実際に工房絵師たちはどのようなアーカイブを編んでいるのだろうか。多くの看板絵師は、自身の手掛けた看板絵を撮影し、プリントしてアルバムに綴じたものを工房や自宅に保有していて、現地人、外国人を問わず訪問者に快く見せてくれる。これは自ら作成編纂した、工房を訪れる者であれば誰でも閲覧することが出来るオープン・アーカイブといえるだろう。

彼らのお手製の写真カタログの主な内容は、過去に制作した看板絵である。絵師によってはその時々の作品を地道にプリントして記録に残している。首都アクラの看板絵師ニコワヨの手製カタログには、九〇年代に町中を飾ったブリジストンやネスレなどの大企業の巨大広告の看板絵や、大人数による集団制作の様子、業務用の大型車輌への彩色や文字入れの様子が収められている［森　二〇二〇：一二一―一二三］。同じく首都アクラの看板絵師ジャスパーは装飾棺桶が有名なガと呼ばれる民族集団の出身で、漁村テシで看板工房を営むが、写真アルバムに収められているのは近隣の大工職人が作った蟹と唐辛子の装飾棺桶の写真で、彼が彩色を手掛けたものだ（写真7）。オバマ大統領らしき人物がモデルとなった床屋の看板絵もある。オバマ大統領が就任後初めてアフリカを訪れた最初の訪問地がガーナだったこともあり、オバマ大統領をモチーフにした看板絵が数多く制作された。当時の町中が沸く様子を看板絵から窺い知ることができる。看板絵はまさに都市生活の記憶を映す一つのメディア媒体であるともいえる。

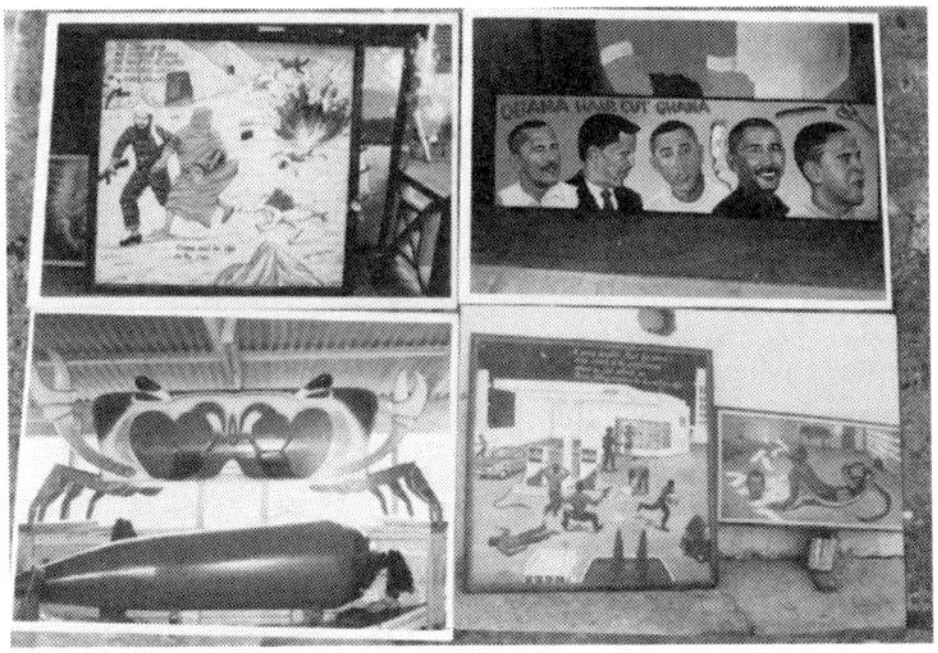

写真7　看板絵師ジャスパーの写真アルバム

お手製の写真カタログには、こうした過去の作品以外にも、自ら筆を握る姿や、工房で弟子や生徒に指導する様子などを収めた写真が見受けられる。工房での制作風景や、家族の思い出写真を収めている場合もある。彼らの手製カタログは、工房訪問客に向けて過去作品や作家性、来歴を広く周知する目的でつくられている。つまりアーカイブ化の目的は、情報発信し、広く共有することであり、そのためオープン・アーカイブとして自ら作成、編纂しているのだ。

そして彼らが自ら開設するインスタグラム・アカウント(9)は、インターネットや端末の普及により情報発信や周知機能がより強化された、公開写真の記録媒体といえるだろう。彼らは自らの最新の看板絵作品や、過去作品、国内外の諸活動の様子を発信するだけでなく、イメージ画像を選択して得意な作品スタイルや活動を伝え、セルフィ写真も投稿することで自身のアーティスト像を自主プロデュースする。ニコワヨとジャスパーは居住地やスタイルが異なり、また注文仕事やパトロンの傾向も違うため、異なるアーティスト像を演出している。当初はフェイスブックやブログから、近年はインスタグラムで、そして若手の作家はネットワークを構築し友人のアーティスト間でライブ配信を行うなどして情報発信を行っている。即ち情報リテラシーは工房絵師にとり死活問題である。映画ポスターや床屋の看板を手掛けるクラシックな看板職人か、壁画やグラフィティを手掛けるストリートアーティストか、といったように、同じ工房絵師でも造形表現や領域位相が異なってくるのだ。記録の編纂と情報の発信によって、独自のアート像、アーティスト像を創出し、アピールすることができるのだ。

## 3　秘密のカタログ

オールマイティ・ゴッド看板工房での弟子入り参与観察の調査記録をまとめた『旅する看板絵』［二〇二〇、風響社］で記さなかったことがある。オールマイティ師匠が密かにこしらえた「秘密のカタログ」の存在だ。具体的には工房内の看板絵を一枚一枚撮影、プリントした五十数枚の写真の束から成る商品カタログで、特定の信頼のおける顧客にだけ送られる。いわばアフリカ人美術匠により構築されたセミクローズドのアーカイブといえるだろう。なぜこのような秘匿性の高いカタログがつくられるのか。それは一つには、アフリカ人美術匠から見て優れた作品ほど、その優れているが故に部分的に秘匿とされ、アートワールドにおいて欧米の美術鑑定人に完全なる支配的な地位を与えないようにする、ということが理由だろう。

この「秘密のカタログ」は、絵師が現地のカメラマンを雇い、看板工房の納屋に保管している完成作品や制作中の作品、そして工房の柵やファサードに掲げられている看板絵を個々に撮影させたものだ。工房から徒歩五分の距離にある自宅で保管している作品も撮影され束のうちに収められていた。プリントした写真の中には、絵師自身が被写体となり、看板絵の前に構えて絵筆を持ち制作中である様子を示しているもの（写真8）、完成品を胸に携え佇んでいるものも数枚あった。筆者は撮影の時に立ち会っておらず、後日カメラマンがプリントした写真を工房に届けたとき、師匠が不在で筆者や他の弟子達で対応したために、その存在が判明した。師匠が戻ってから尋ねたところ、ある米国人の顧客に写真の束を送るのだという。そして写真を見てその顧客は注文をするとのことだった。

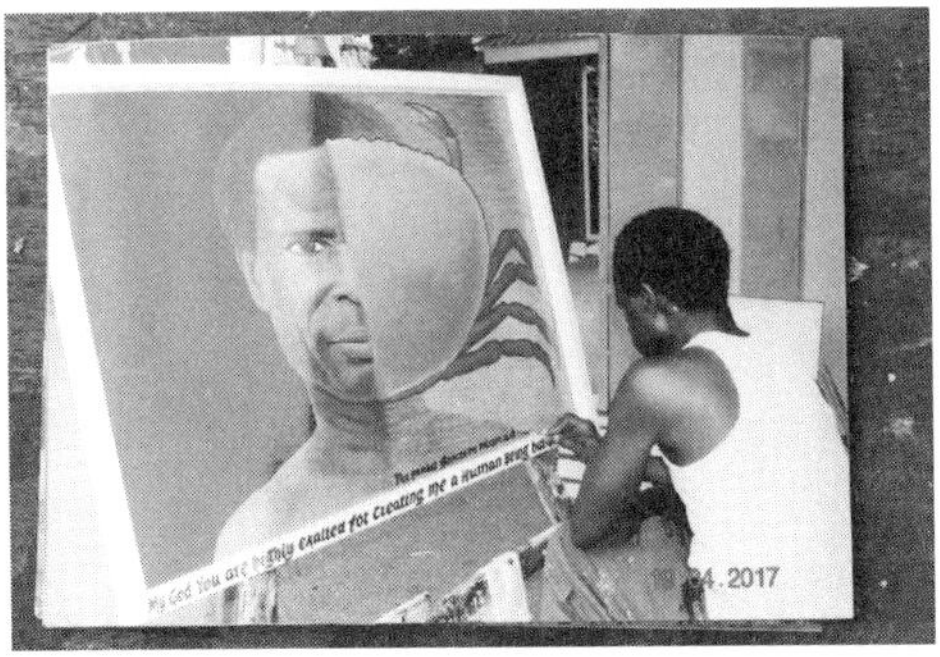


写真8　秘密のカタログの一枚

オールマイティは警戒心が強く、作品のモチーフやディテールが他者に漏れ、盗作や流用、模倣されることを恐れている。顧客情報についても秘密主義で、どの顧客がどの看板絵をいくらで購入したかといったことは決して他者に漏らさない。また誰が何点ほど所有しているか、どのモチーフをいつどれだけ制作したかといった情報を明かすこともない。おそらく細かい帳簿や備忘録もつけていない。西アフリカの多くの人々の例にもれず、アサンテの人々も基本的には口頭伝承に頼っており、文字化して記録を残す習慣はなく、すべては絵師個々人の記憶と語りによるのだ。

概して秘密主義の彼らが主張するのは独自性の担保だ。看板絵師で作品の撮影を忌避するのはオールマイティだけではない。他の看板絵師でも撮影を拒否する作家や工房はあるし、他分野の芸術家や表現活動を行う者も同様だろう。他分野の表現活動でもインターネット上での制作活動と公開、流通消費サイクルの増幅、コミュニケーション手段の多様化が進んでいるが、反比例するかのようになお一層、他との差異化を図るために一部の情報には秘匿性が高まる。また浮世絵のように、欧米の個人コレクターが蒐集し匿ってきたコレクションが、死後遺族により寄贈され、美術館等の公的機関に移管され公開されることがある。つまり秘匿された情報が時間的な隔たりを経て、オープンアクセス化され、作家本人の意志を離れて新たな価値付けが行われるようになるのだ。作家の意志に反して作品が公開されることにより芸術としての自律性と社会的承認を得るとは、なんとも皮肉である。美醜を超えて異文化を貪欲に取り込んできた芸術のアリーナ、即ちアートワールドにおいて圧倒的周縁に位置するアフリカ人美術匠は、自らの芸術作品の情報集積と秘匿性を武器にして欧米の美術鑑定人と対峙し、戦略的に交渉する。時間的経過は、ときにアーカイブの文脈と価値の変容を伴う帰結をもたらす。

## 5　おわりに——看板絵と芸術実践から読み解くアーカイブ

これまで見てきたように看板絵のアーカイブには欧米アートワールドにより構築されたものや、アフリカ人美術匠自らの手によって編纂、構築されたものが存在する。そして看板絵師は現地の工房において、両者の情報の差異や特徴をよく理解していて、異なる情報集積として戦略的に利活用している。

欧米のアートワールドによって構築されたアーカイブは、作品の公的記録や外的評価として現地の絵師に積極的に利用される一方で、アフリカ人美術匠が直接入手、活用できないアーカイブも存在する。他方、アフリカ人美術匠が自ら編纂するアーカイブは、過去作品の写真記録だけではない。近年インスタグラムでは最新の作品、注文仕事や、国内外での活動を発信する。そしてこれらのアフリカ人美術匠自らが編纂するアーカイブからは平面造形だけでなく、壁画や装飾棺桶や模型の彩色など、従来のアートでは別種に分類されるような造形物も絵師が手掛ける範疇にあることがわかる。また絵師によっては、盗作や情報漏洩を警戒し、作品の独自性、あるいは権利を守るために秘密カタログを有する者もいる。

日本や北米、欧州にいる筆者や読者らは、欧米アートワールドによって構築された公開アーカイブを容易に入手したりインターネットで検索したりすることができ、またチャンスに恵まれれば美術館やギャラリーで観ることができる。そうすることで一方的なイメージと情報が流通し、看板絵という一つのアフリカンアートを想像するに至る。しかし看板絵を制作する絵師、すなわちアフリカ人美術匠は、同じ情報集積でも全く異なる使い方をしている。カタログという物理的な情報集積と、一般に流通するイメージを利用して、自らの作品、手腕、業績を積極的にアピールする。それのみならず、そのカタログや図版を最大の資料として作品制作に役立てる。そしてアフリカ人美術匠自らが編纂した公開アーカイブと非公開アーカイブを組み合わせて、数少ない訪問客に過去の作品や自らの手腕、アトリエでの制作や指導の風景など、ありとあらゆる情報を提示して顧客に印象付け、販売やコネクション作りに繋げる。ロンドンやニューヨーク、東京で、誰もがふらっと訪れることの出来るアトリエギャラリーとは違い、工房を訪れる海外からの訪問客は、覚悟と強い意志とフル装備で渡航、滞在し、未整備なインフラに苦労しながら訪問してくれる貴重な存在なのだ。だからインスタグラムは恰好の飛び道具だ。遠く離れていても過去作品、最新作、そして現在の活動や新しいアトリエをアピールすることができる。

現地絵師の実践、そしてアフリカ人美術匠の戦略に目を向けると、様々な種類のアーカイブを組み合わせて、広大なグローバル・アート市場で立ち回り、駆け引きや交渉を行い、日々創意工夫していることがわかる。既存のアーカイブは存分に利活用し、また自らアーカイブを構築し、編纂して、積極的に自らの存在と物語とを発信する。アートワールドやアートマーケットにおいて圧倒的周縁に位置づけられる看板絵と絵師の実践を紐解き、彼らの声を拾い、その営為を可視化すると、これまでにないアーカイブの在り方、使い方、捉え方が見えるのではないだろうか。

現地のアフリカ人美術匠の実践に向き合い、こうしたアーカイブのちからを丹念に捉えることは、現地の芸術実践や造形表現への新たな視座を切り開くだろう。

注

（1）グロイスは、現代の美術館は収集された事物と収集されていない事物との間に差異を導入することができ、その取捨選択を行うキュレーターがかつてないほど権力や権限をもつようになっていることを指摘している［グロイス 二〇一七］。

（2）広義に民族や出身国や地域で連帯する移民コミュニティを指す。本展覧会ではマミワタを信仰するアフリカと中南米の間大西洋地域の造形物が対象となった。

（3）通称「ワン・フィフティ・フォー」は、二〇一三年にモロッコ人作家のトゥリア・エル・グロイが創設したアフリカやディアスポラ作家の同時代アート作品を扱うアートフェア。現在ロンドン、モロッコ、ニューヨークで展開され、毎年開催される。筆者は二〇一八年のニューヨーク開催の展覧会や関連行事を訪問した。

（4）日本刀や巻物などの古美術から、日本や海外で活躍する現代アートの作家作品まで幅広いギャラリーや画廊が出展するアートフェア。東京国際フォーラムで二〇〇五年から開始、出版社とのブックフェアの同時開催や、各国大使館との連携事業などがある。筆者は二〇一九年に訪問した。

（5）Bonhams. 一七九三年に設立した老舗オークションハウス。サザビーズ、クリスティーズと並び三大オークションハウスの一つ。

（6）“A painting being called the 'African Mona Lisa' just sold for £1.2 million at an auction after being lost for decades”（https://www.businessinsider.com/the-african-mona-lisa-just-sold-for-over-one-million-2018-3）（二〇二三年八月十九日閲覧）。

（7）“The Seven Sins of Man”and “Witches Camp” signed and dated ‘ALMIGHTY GOD/ARTWORKS KWAME AKOTO, KUMASI GHANA/ ‘97’

（8）アサンテ王国は十八〜十九世紀頃にかけて興隆したが、一九〇二年に大英帝国ゴールドコースト領に併合された。アサンテ王プレンペー一世は亡命生活を送った後に、一九二六年にクマシの王として再度即位した。

（9）Nicolas Wayo（https://www.instagram.com/nicowayo/?hl=en）Daniel Jasper（https://www.instagram.com/dajasperart/?hl=en）（二〇二三年三月二日閲覧）。

## 参考文献

クリフォード、ジェイムズ
　二〇〇三『文化の窮状』（太田好信、慶田勝彦、清水展、浜本満、古谷嘉章、星埜守之訳）京都：人文書院。
谷本貫太、松本健太郎編
　二〇一七『記録と記憶のメディア論』京都：株式会社ナカニシヤ出版。
グロイス、ボリス
　二〇一七『アート・パワー』東京：現代企画室。
森昭子
　二〇二〇『旅する看板絵――ガーナの絵師クワメ・アコトの実践』東京：風響社。
吉田憲司、マック、ジョン（編）
　一九九七『異文化へのまなざし　大英博物館と国立民族学博物館のコレクションから』（展覧会カタログ）東京：ＮＨＫサービスセンター。
Cole, H. M. & Ross, D. H.
　1977　The Arts of Ghana［Exhibition catalogue］. CA: The Regents of the University of California.
Bonhams
　2019　Modern & Contemporary African Art.［Catalogue］. London: Bonhams.
Becker, H. S.
　1982/2008　Art Worlds, CA: The University of California Press.（後藤将之訳（二〇一六）『アート・ワールド』東京：慶応義塾大学出版会）
Danto, A. C.
　1964　The Artworld, Jounal of Philosophy, Vol. 61. No. 19.（ダントー、アーサー（2015）「アートワールド」西村清和編・監訳『分析美学基本論文集』東京：勁草書房）
　1998　After the End of Art: Contemporary Art and the Pale of History. Bollingten : Bollingten Foundation.
Dickie, G.
　1974　What is Art? An Institutional Analys in: Art and Aesthetic. An Institutional Analysis, Ithaca and London: Cornell Press.（ディッキー、ジョージ（1974）「芸術とは何か―制度的分析」西村清和編・監訳『分析美学基本論文集』東京：

勁草書房）

Drewel, H. J.（Eds.）

2008 Mami Wata: Arts for Water Spirits in Africa and Its Diasporas［Exhibition catalogue］. CA: Fowler Museum at UCLA.

Kwami, Atta

2013 Kumasi Realism :1951-2007 An African Modernism. London: Hurst & Company.

Picton, John

2013 Forward: Paris, New York, Kumasi: A Tale of Three Cities. Kwame, Atta. Kumasi Realism :1951-2007 An African Modernism. London: Hurst & Company.

Ross, D. H.

2004 Artists Advertising Themselves: Contemporary Studio Fasades in Ghana. African Arts 37（3）, 72-79

Ross, D. H.

2014 The Art of Alnighty God in His Own Words. African Arts 47（2）, 8-27

Vogel, Susan.

1991 Africa Explorer: 20th Century African Art［Exhibition catalogue］. NY: Centre for African Art.

Wolfe, E. & Barcker, C.（Eds.）

2000 Extreme Canvas: Hand-painted Movie Poster from Ghana. CA: Dilettante Press.

# Ⅳ　アーカイブをめぐる綱引き——アンダマーンの流刑囚による書きものの場合

宮本隆史

## 1　はじめに

本書で議論してきたように、人びとは生活のさまざまな場面に何らかの情報の「集積」(=アーカイブ)のようなものを見出す。アーカイブとは、人びとの信念や行為から独立してあらかじめ存在する、自明の何かではなさそうである。むしろ、さまざまな環境において、多様な行為者たちが、ある資料や情報になんらかのまとまりや意味を見つけ出し、それを「アーカイブ」として扱うのだと見たほうが良さそうだ。

前章で森は、アート作品がさまざまな行為者たちによって、異なる意図のもとに異なるやりかたでカタログ化されることを示している。アート作品をどうカタログ化するかは、作品をどのような文脈に置くかを巡る「綱引き」をともなって決められていく。これは、デジタル・メディア上の言論と似ている。たとえば、X(旧ツイッター)投稿のいわゆる「まとめ記事」では記事の作成者によって異なる「まとめ」が行なわれるし、ユーチューブ上ではさまざまな投稿者によって既存の動画が切り貼りされて編集される。アート作品のカタログ化とソーシャルネットワークのコンテンツに共通するのは、唯一の正しいまとめ方があるわけではないということである。多様な認識や

図1　ムハンマド・ジャアファル・ターネーサリーの流刑囚時代の肖像［Thānesarī 1879: 3-4］。

意図のもとに、何をカタログやまとめに含めて何を含めないかという選択が行なわれているのである。こうした綱引きの結果として、多様な物語が語られている。

もちろん、物語をめぐる多様な綱引きは、デジタル技術が生まれるはるか以前から行なわれてきた。自分を取り巻くメディア環境に制約されたりうながされたりしつつ、人びとは日常生活の中で自分の記憶をつくりそれを想起してきたのである。こうした視点から、もっとも伝統的な「アーカイブ」のひとつともいえる、紙の資料の集積について改めて考えてみようというのが本章の目論見である。紙の「集積」とは自明の何かと言えるのか？　その「集積」は人びとにどのような行為をうながすのか？　どのような物語をめぐる綱引きが行なわれるのか？

手がかりとする事例として取り上げるのは、一九世紀後半に英領インドの流刑地アンダマーンで刑期を務めた流刑囚ムハンマド・ジャアファル・ターネーサリー（一八三八～一九〇五年）［図1］による書きものである。彼は、現在のパーキスターンとアフガーニースターンの国境地域にあたる、英領インドの北西辺境の反英的ムスリム勢力に資金を送ったとして流刑に処され、一八六五～八四年にかけてアンダマーン流刑地で刑期を過ごした。知られているかぎり、ターネーサリーは三冊の本を遺している。それぞれ、アンダマーンの歴史、自らの流刑体験記、一八世紀の政治的な宗教家サイイド・アフマド・バレールヴィーの伝記という題材について書いている。本章では、そのうちアンダマーンに関わる最初の二冊を取り上げる。これらのテクストがどのように読まれたのか、いかに「集積」と関連づけて読まれるようになったのか、そしていかなる情報の参照関係の中に位置づけなおされてきたのかを考えたい。

## 2　アンダマーンの歴史とその喪失

一九九六年に封切られたマラヤーラム語映画『黒い水（Kālā Pānī）』は、インド洋に浮かぶアンダマーン諸島を舞台とした歴史物語である。インド独立から一八年が経った一九六五年、若い軍人セートゥが叔母の夫ゴーヴァルダンの消息を求めてアンダマーンを訪れる。その五〇年前に、医師であり独立運動家であったゴーヴァルダンは反逆罪に問われ、新妻を残して流刑地アンダマーンに送られていたのである。セートゥは、アンダマーンの県庁に残された記録室に入る許可を得て、ゴーヴァルダンに関する記録文書を発見する。映画は、その文書を入口として、ゴーヴァルダンが経験した独立闘争とアンダマーンの流刑監獄における苦難を描く。インド共和国初代首相ジャワーハルラール・ネールーの没年である一九六五年から、「アーカイブ」を導きの糸としつつ、インドの独立の物語をひとりの男の人生に重ねて語るという構成になっている。

図２　アンダマーン諸島はベンガル湾のビルマ西岸寄りに並び、その南にニコーバール諸島が位置する［*The Imperial Gazetteer of India* 1909: 2］。https://dsal.uchicago.edu/reference/gaz_atlas_1909（最終閲覧：2023年3月31日）

インド洋に浮かぶアンダマーン諸島［図2］は、英領インドの主要な流刑地のひとつであった。植民地インドにおける流刑制度の歴史は一八世紀にさかのぼる。一七八八年、ベンガル総督チャールズ・コーンウォリスは、その政策の旗印として掲げた「法の支配」の一環として流刑を導入すべきとする勧告を出した。当時は英国においても監獄

図3　20世紀に入る世紀転換期に約10年をかけて放射状の独居房獄舎（Cellular Jail）が建設された。写真は、日本軍政期にスバース・チャンドラボースが監獄を視察した際のもの。Subhash Chandra Bose visits Andaman Cellular Jail in 1940s, *Jansattā,* 30 December 1943. [https://commons.m.wikimedia.org/wiki/File:Subhash_Chandra_Bose2021.jpg]（最終閲覧：2023年3月31日）

での拘禁は刑罰の主要形態とはなっておらず、流刑は有力な刑罰手段のひとつであった。一八世紀までは数多くの囚人が北米に流され、アメリカ合衆国独立後はオーストラリアが新たな流刑地となった。英領インドでも重罪犯に対する刑罰のひとつとして流刑が制度化され、一九世紀前半にはマレー半島の海峡植民地（ペナン、シンガポール、マラッカ）が主な流刑地となったのである。さらに一八五七年に北インドを中心に大反乱が起こると、鎮圧作戦のなかで逮捕した多くの反乱者たちをいかに管理するかが問題となった。一九世紀半ばまでに都市化が進んでいた海峡植民地では、社会の治安悪化が危惧され流刑反対運動が起こったからである。そこで、インド政府は新たな流刑地としてアンダマーン諸島を選定した。

アンダマーン入植の最初の試みは、すでに一八世紀末に行なわれていた。ボンベイ海軍の水路測量士アーチボールド・ブレアが一七八八〜八九年にかけてアンダマーン諸島の探査と入植を試みている。一七九三年より東インド会社はこの地への流刑を試みたが、疾病が広がったため三年後には放棄した。一八五七年大反乱は、アンダマーン入植の再検討のきっかけとなった。同年一一月から翌一月にかけて、ベンガル監獄総監フレドリック・ムアットがアンダマーン調査を行ない、その検討の結果を受けて流刑が開始された。

流刑初期には大反乱に関わって捕らえられた囚人がアンダマーンに送られたが、しだいに殺人、強盗、治安妨害などの犯罪に手を染めた重罪犯が主な流刑者となっていく。さらに一九世紀末以降は、民族主義運動の高まりとともに、政治犯がアンダマーン流刑に処されるようになっていった。その収容のために、一八九六〜一九〇六年にかけて、放射状獄舎を持つ巨大な監獄が建設された〔図3〕。これは、流刑地に送られたばかりの囚人を個別の独居房に収容して厳しい労働を課すためのもので、「独居房監獄（Cellular Jail）」という呼び名はアンダマーン流刑地の代名詞として恐れられた。

流刑地の建設当初は、監獄所長が行政長官として任命され、行政上はあくまで小さな流刑入植地の扱いであった。しかし、一八六八年にニコーバール諸島がデンマークから英領インドに売却されたのち、一八七二年にチーフ・コミッショナーが統治する「アンダマーン及びニコーバール諸島」という行政単位とされた。英領インドにおけるチーフ・コミッショナー職は、知事と準知事に次ぐ州行政長官職であった。つまり、アンダマーン及びニコーバール諸島は、県より格下の入植地からチーフ・コミッショナー州へと、大きく昇格されたのである。

英領インドの監獄行政は州管轄事項とされていたため、アンダマーン及びニコーバール諸島が州レベルの行政単位となったことは、そのアーカイブの歴史を理解する上で重要である。流刑地関係文書を、英領インドの中央政府である総督府ではなく、アンダマーン及びニコーバール諸島政府が管理・保存したことを意味するからである。そして、アンダマーンで保管されたがゆえに、流刑地の公文書の大部分は喪《うし》なわれることになった。第二次大戦期の一九四二〜四五年に、日本軍がアンダマーン及びニコーバール諸島を占領したからである。日本軍は、敗色が濃くなり撤退せざるをえなくなると、そこにあった文書を徹底的に破壊してしまった。つまり、本章の冒頭で紹介した映画『黒い水』の記録室は、実在しない想像上のアーカイブだったのである。

記録が喪なわれていたにもかかわらず、アンダマーン諸島は、一九四七年のインド独立後に、民族運動の記憶の場として位置づけなおされることになった。独立運動家たちを顕彰する碑が設置され、独居房監獄は植民地支配の残虐性を示すモニュメントとして、多くの旅行客が訪れる観光スポットとなっている。映画の中の民族運動の闘士ゴーヴァルダンの記録文書とは、そうした物語の変奏のひとつとして想像されたものと言える。

実際には、アンダマーンの歴史を研究しようとする者は、アンダマーンから総督府や各州政府に送られた公文書や出版物、あるいは個人の自伝などに頼るほかなくなってしまった。こうした散在する一連の文書や書籍などが、現実のわたしたちに与えられている「アーカイブ」である。言い換えれば、歴史家たちにとって、アンダマーンの植民地アーカイブは分散化された不完全な情報のネットワークとしてしか把握できないものとなっている。しかし、このことは、アンダマーンの歴史資料の特殊性を示しているのではなく、歴史資料あるいは「アーカイブ」なるものの一般的な特徴を示しているのではないか。歴史を学ぶ者であれば、どの文書館の資料も「不完全」であり、すでに多くが喪なわれてしまっていることを知っている。であるとすれば、多くが破壊されてしまったという、ごく一般的な特徴を持つアンダマーンの資料の経歴の一端を観察することで、「アーカイブ」なるものに共通する何らかの特徴を取り出せるかもしれない。

## 3　ターネーサリーとそのテクスト

では、「アーカイブ」の大部分が喪なわれているなか、現在残っている書きものはどのような経験をしてきたのだろうか。それを考えるために、ムハンマド・ジャアファル・ターネーサリーが一九世紀後半に遺した書きものに注目しよう。彼は、いわゆるヒンドゥスターニー語をペルシア文字で書いている。ヒンドゥスターニー語には、ペルシア／アラビア文字を用いる書記方法と、サンスクリット語を表記するのに使われるデーヴナーグリー文字を用いる書記方法がある。現代では、前者は「ウルドゥー語」となり、後者は「ヒンディー語」と呼ばれるようになった。ターネーサリーはどちらの書記方法にも通じていたが、自分の著作では前者を使っている。このことは、本章の後段で重要になってくる。

ターネーサリーは、北インドにあるパンジャーブ州のターネーサルの地に生を受けた。生家は裕福ではなかったが、識字能力を身につけた彼は、請願書の代筆など法廷に関わる仕事に従事し、町の役職を務めるまでになった。その一方で、イスラームの原理主義的な思想に強い影響を受け、英領インドの北西辺境でアフガーニースターンに接する山岳地帯において活動する反英的ムスリム武装集団に資金を送ったとして一八六四年に逮捕された。当初の判決は死刑であったが、終身流刑に減刑されアンダマーンに送られることとなった。

彼は流刑以前から持っていたペルシア語とヒンドゥスターニー語の識字能力に加えて、流刑地において英語の読み書き能力も身につけた。ほどなくして、流刑囚でありながらも、英国人官僚たちから書記あるいは語学教師として重宝されることになった。特に、後にアンダマーン及びニコーバール諸島のチーフ・コミッショナーとなり、行政官人類学者としても知られることとなる、リチャード・C・テンプルからも目をかけられた。テンプルは、社会人類学における歴史的作品とされる『アンダマーン諸島民』を著したラドクリフ・ブラウンに調査協力をしたことでも知られる。

そうした英国人官僚たちの勧めを受けて、彼は執筆活動をはじめることになる。彼の著作とされる三冊の本のタイトルは、日本語に訳すならばすべて「驚異の歴史」と訳せるが、語形に微妙な変化がつけられている。アラビア文字は、それぞれの文字に数値が割り当てられ、単語の組み合わせで年などを表すことができるという特徴を持っており、彼の著作は書名で出版年を表しているのである。ここでは、彼がアンダマーンで書いた二冊を紹介しよう。

### 1　『ポート・ブレアの歴史』（一八七九年）

一八七九年に出された一冊目は、ターネーサリーが言語を教えていた、アンダマーンの英国人たちから勧めら

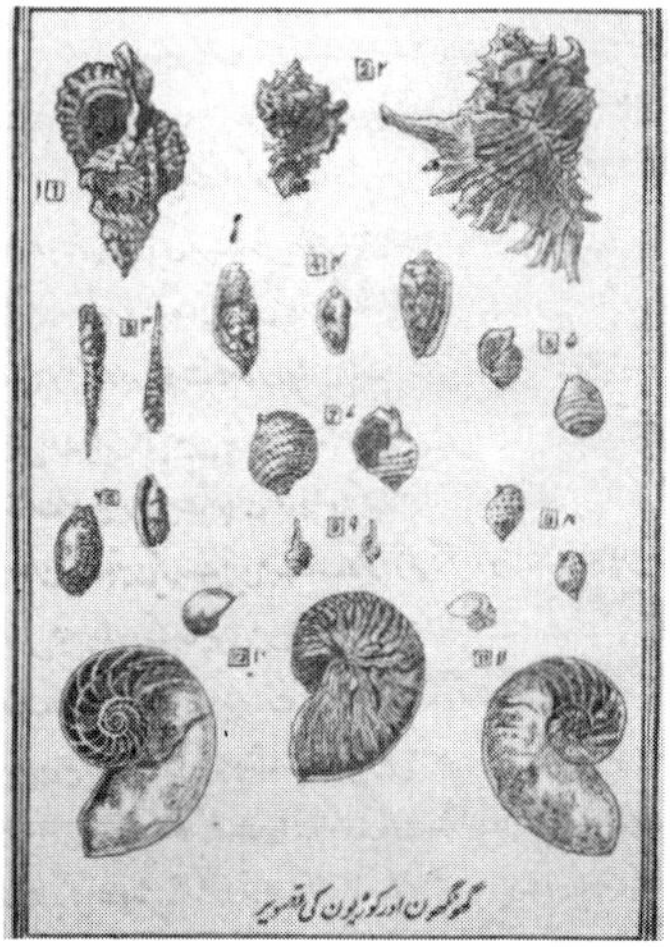

図4　収録されている貝の図表には、英語とローマ数字で標本番号が付けられている。英語で書かれた文献から引用されたものであると思われる［Thānesarī 1879: 9］。

れて書いた、アンダマーン諸島の歴史である［Thānesarī 1879］。当時北インドのラクナウーやカーンプルで活発に出版活動を行なっていた、ムンシー・ナワルキショール・プレスという、たいへん有名な出版社から出された。本書には「ポート・ブレアの歴史」という英題が付けられているので、ここではその名で呼ぶことにしよう。

本書では、アンダマーンの地理的位置、入植の歴史、気候と動植物、森と海の産物とりわけ木材と貝類、そしてアンダマーンの先住民についてまず記述されている。先住民については、既存の書きものに加えて彼自身の見聞にも基づいて、独特の民族誌的な記述がなされている。特徴的なことに、アンダマーンの人びとの出自に関する考察において、始祖の人アーダムにはじまるイスラームの歴史観にもとづく解釈を示している。とりわけ、これらの人びとが語る起源の伝承を、ヌーフ（ノア）の洪水に関連づけていることは興味深い。

こうした地誌的な説明をしたうえで、続く各章では流刑地の制度史的な説明を行なっている。入植地における法と行政の制度的説明を行なった後、歴代の流刑地所長とチーフ・コミッショナーによる統治の歴史を物語る。また、アンダマーン訪問時に流刑囚によって殺害された、総督メイヨーについても一章を割いている。さらに、流刑囚がどのような制度の下で管理され生活していたかについても、監獄規則を参照して詳述している。これらの記述から明らかなのは、彼が囚人の身でありながら、英語文献をかなり読み込んで理解していたということである。また、彼の書きもの一般に言えることとして、明らかに親英的な立場から叙述を行なっている。これは、実際に彼が反英的運動から転じて「改心」したことを示すのかもしれないし、英国人官吏たちからの好意と信頼を勝ちとろうとする戦略であったのかもしれない。いずれにせよ、彼が英語による書きものを多く読み、その叙述スタイルを流用しようとしたことは確かなようである［図4］。

さらに、彼は言語にも非常に大きな関心を向けており、アンダマーンで話されている諸言語と「ヒンディー語」とを対照した文例表を作っている［図5］。その諸言語には、アンダマーンとニコーバールの現地語も含まれるが、パンジャーブ語、タミル語、ビルマ語といった、インド洋世界で用いられていた諸言語も入っている。なお、彼のいう「ヒンディー語」とは、ペルシア文字で書かれたヒンドゥスターニー語である。彼の文例表は後世の研究から見ればごく素朴な素人仕事に見えるが、英領インドの東洋学者や行政官人類学者たちが言語へ大きな関心を寄せていたことを念頭に置けば、異文化に対する記述スタイルをターネーサリーが流用したものと読むことができる。

このように、イスラームの歴史観、英語文献からの情報、彼自身の民族誌的観察が組み合わされて書かれたのがこの史書なのであった。この著作は、親英的身振りを示すことに利益を見出す著者が提示する、アンダマーンその他についての既存テクストの参照ネットワークの結節点として見ることができる。流刑囚という立ち位置に置かれたターネーサリーによる、未知の地アンダマーンに関する情報の「カタログ」あるいは「まとめ」ともいえるものが、この本で披露されているのである。

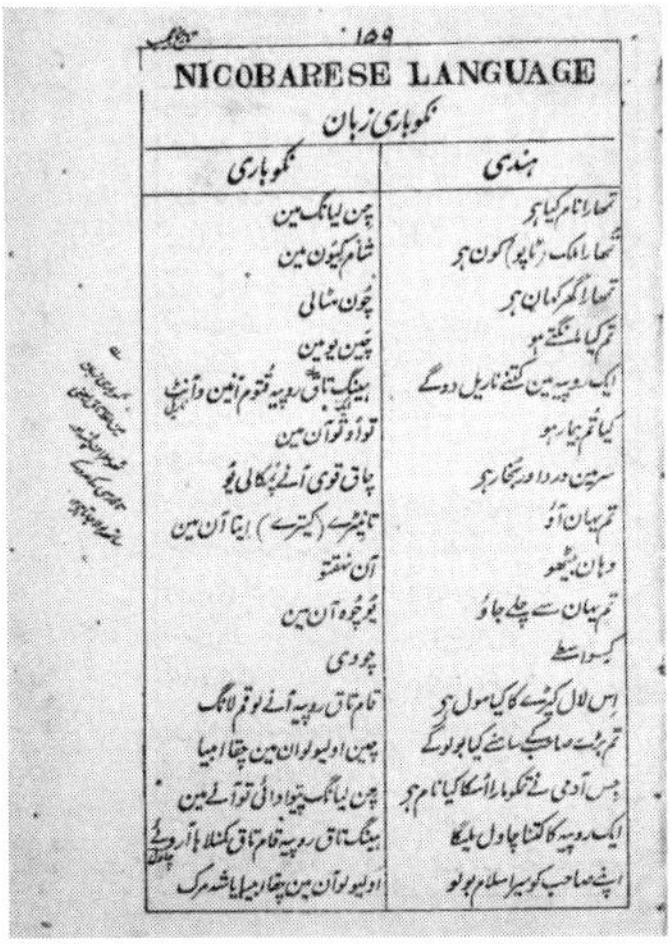


図5 「ヒンディー語」と31言語との対照文例集より、「ニコーバール語」との対照表［Thānesarī 1879: 159］。ターネーサリーはペルシア文字で書かれるヒンドゥスターニー語を「ヒンディー」、デーヴナーグリー文字で書かれるヒンドゥスターニー語を「ナーグリー」と呼んでいるが、これは19世紀当時は珍しいことではなかった。

## 2 『黒い水』（一八八四／八五年）

ターネーサリーの二冊目の本は、彼が故郷のパンジャーブに帰還した直後のヒジュラ暦一三〇二年（西暦一八八四／八五年）に執筆されている［Thānēsarī 1884/85］。流刑前後の経緯を含めた一八六五～八四年にかけての自身の経験が叙述されているこの本は、『黒い水』の表題で幾度も再版されることになったのでここでもその名で呼ぼう。ヒンドゥスターニー語の「黒い水」とは、海を意味する言葉で、とりわけ海を渡ることを意味した。ヒンドゥーたちのあいだでは、海を越えるとカーストを喪失するという信念が広く共有されたこともあり、海を越える渡航や流刑は忌避されることがあった。さらに、一九世紀後半から二〇世紀前半においては、「黒い水」という言葉は特にアンダマーン流刑地自体のことを指す語としても理解された。

この著作では、まず自身が逮捕されるまでの経緯を述べたうえで、裁判の経過と流刑という判決について語られる。つづいて、アンダマーンに送られる過程で、アンバーラ、ラーホール、ボンベイの監獄で経験した苦境が強調され、それとは対照的にアンダマーンに到着した後の生活が比較的快適なものとして描かれる。彼は、パンジャーブにいたころからの人脈により、流刑地社会に好意的に迎え入れられることになったと強調している。彼は、書記や語学教師という仕事のほか、英語の識字能力を用いて他の囚人の請願書等の代筆をするなどして稼ぎ、インド亜大陸から商品を買い付ける商売にも手を染めたことを記している。こうした活動によって、一八八三年に釈放されるまでに八千ルピーを蓄えるにいたった。ターネーサリーは、パンジャーブに妻とふたりの子を残してきていたが、アンダマーンでも二度結婚している。二人目の妻とは死別したが、流刑地から釈放されると、三人目の妻と八人の子を伴って、最初の妻子が待つパンジャーブに帰還することになる。さらに、パンジャーブ帰還後は、言語能力とアンダマーンにおけるイギリス人官僚との人脈を活かし、アンバーラでイギリス人文官の言語教師となった。アンバーラには、アンダマーンで知己を得ていたテンプルが、県行政長官として赴任してくるという幸運が重なり、彼の紹介があって本書が刊行された。

総じてターネーサリーは、流刑地における生活を快適なものとして記述する一方で、いかに自分が植民地政府に対して友好的な存在であるかを本書でも強調している。本書全体としては、流刑地に着くまでの受難を経て、流刑地で転機を迎え、富と新たな家族を得て故郷に帰還するという物語になっている。本書では前著『ポート・ブレアの歴史』を多く参照しており、既存テクストへの参照ネットワークの中に自らの人生の物語を接続したものとして読むことができる。

## 3　ターネーサリーはいかなる参照ネットワークの中で叙述したのか

こうしたテクストの参照ネットワークとは具体的にどのように叙述の中に現れるのかを示しておきたい。ターネーサリーが『黒い水』の中で『ポート・ブレアの歴史』を参照している部分をよく見てみると、記述が微妙に異なるところがある。この記述の揺れの中に、彼のテクストが既存のテクストとの参照関係の中に組み込まれていく様を読み取れる箇所がある。

例をひとつ挙げよう。ターネーサリーは、自らの見聞も交えつつ、アンダマーンの先住民について叙述している。その中で、先住民の身体的な特徴について、『ポート・ブレアの歴史』ではつぎのように描いている。

この人びとは、四フィートから五フィート四インチの背丈で、黒人のように黒い色、丸い頭、飛び出した目、巻貝のような毛（ghūnghar wālē bāl）を持つが、非常に頑健である。［Thānēsarī 1879: 15］（傍線は引用者による。以下同様）

頭髪が「縮れている」ことを記述する箇所で、「巻貝のような毛」という表現を使っている。これは、ヒンドゥスターニー語で縮毛を表す一般的な表現である。一方で、『黒い水』ではどうだろうか。

この人びとは、四フィートから五フィート四インチの背丈で、黒人のように黒い色、丸い頭、飛び出した目、頭には羊のような毛（bhēṛ kēsē bāl）を持つが、非常に頑健である。［Thānēsarī 1884/85: 47］

こちらでは、「羊のような毛」という表現に換えている。この文の他の部分の表現はまったく同じなので、意図的に置き換えたものであろう。この『黒い水』における表現には、実は下敷きがあるようである。一八五七年大反乱後に、アンダマーンに流刑地を建設するための探索を行なったベンガル監獄総監ムアットは、英語で著したその調査旅行の記録『アンダマーン諸島民のなかでの冒険と調査』の中で、アンダマーンの先住民の身体的特徴をつぎのように描いている。

彼らの毛は縮れた質感（woolly texture）のもので、彼らの鼻は典型的に平たいものである。彼らの唇は分厚く突き出し、どのような友好的な感情によっても明るくなることがほとんどない不愉快そうな表情が、動物のような印象を与えている。［Mouat 1863: 275］

「縮れた質感」という表現にみられる「羊毛質の（woolly）」という形容詞を、ムアットはその本の随所で使っている。これをヒンドゥスターニー語で「羊のような」と直訳したのが、ターネーサリーの『黒い水』にある「羊のような毛」という表現だと思われる。ただし、ムアットの叙述もこの表現の初出ではない。ムアット自身は、一八三三〜四四年にフランス語で編纂された『世界民族百科事典（*Encyclopedie des Gens du Monde*）』を参照している［*Ibid.* 43-44］。この表現の最初期の例は、筆者が見つけることができた限りでは、さらにさかのぼって一八世紀末にアンダマーンの探検を行なったコールブルックによる書きものに見ることができる。

彼らの四肢はおかしな形で細く、腹は巨大である。そしてアフリカ人のように、彼らは縮れた頭髪（woolly heads）、分厚い唇、そして平たい鼻を持つ。〔Colebrook 1799: 405-406〕

このように、『黒い水』に見られる「羊のような」という表現は、英語の「羊毛質の（woolly）」という表現に由来するものであるようだ。ターネーサリーが、アンダマーン流刑中に身につけた英語能力を使って、英語で書かれた本を読むことを通じて、「巻貝のような」が「羊のような」という表現に置き換わったものと思われる。このことはささいな表現の変化に見えるかもしれない。しかし、英語で書かれたアンダマーンに関する書きもののあいだに形成されてきた参照のネットワークに、ヒンドゥスターニー語の書きものが接続し「リンク」ができる様子を、彼のテクストのこの部分は示しているのである。

## 4　民族主義のテクストへ？

ターネーサリーによるヒンドゥスターニー語のテクストが、このようにしてアンダマーンの「アーカイブ」の一部として形成されたことをわたしたちが知っているのは、もちろん彼のテクストが現在まで喪なわれていないからである。では、彼の書きものはどのようにして生き延びてきたのだろうか。

ターネーサリーの書きものは、すでに指摘してきたように、これ見よがしな親英的身振りにあふれている。親英的な態度表明は、一八五七年大反乱後に危機意識を持ったムスリム知識人たちの取った戦略のひとつであった。その典型が、イギリス支配を受け入れつつ、アリーガルを拠点としてムスリムの「近代化」運動を展開した、サイイド・

アフマド・ハーンであった。ターネーサリーもまた、自身の親英的立場を論じる際にアフマド・ハーンの著作を参照している。

大反乱後の英領インドのムスリムの中で、反英的な運動を行なった数少ない集団としては、一九世紀前半にスィク王国に対するジハードを展開した、サイイド・アフマド・バレールヴィーの流れを汲む者たちがいた。実は、ターネーサリー自身もそのひとりとして流刑に処されたのであった。しかし、流刑後のターネーサリーは彼の最後の著作の中で、バレールヴィー自身は反英的ではなかったことを強調し、「安全な」バレールヴィー像を作り上げようと苦心しているのである[Thānēsarī 1891]。このように、少なくとも流刑後のターネーサリーは、自分とその思想がいかに親英的であるかを示すことに力を入れていた。

一方で、ターネーサリーの『黒い水』が出された頃から一九世紀末にかけては、英領インドで民族主義的な運動が台頭する時期に重なる。一九〇五年のベンガル分割令をきっかけとして、スワデーシー運動がおこり、反英運動が盛り上がっていった。こうした反英運動の活動家たちが、アンダマーンに送られていくようになるのである。さらに、ヒンドゥーとムスリムの宗派対立が激しくなりはじめるのもこの時期であった。政治的なエリート層にとって政治参加の可能性が視野に入るようになると、政治的な連帯を呼びかける際に宗派的記号が利用される傾向が強まったのである。非ムスリムの運動家たちは「ヒンドゥー」的な象徴を強調するようになり、その典型として聖なる動物とされる牝牛の保護運動を展開した。牛を食用としてきたムスリムとのあいだに軋轢が生じると、ムスリム知識人の多くは少数派としてのムスリムの権利要求を目指すようになっていくのである。

この流れの中で、ヒンドゥー原理主義と呼ばれる思想潮流も生まれた。ヴィナーヤク・ダーモーダル・サーヴァルカルは、一九二一年に『ヒンドゥットゥヴァ』(ヒンドゥー性)と題した本を出し、イスラームをはじめとする「外来」の宗教の排斥を唱えた。そして、このサーヴァルカルもまた、流刑を体験していた。彼は、出版禁止処分を受けることになる『インドの独立戦争』を一九〇九年に出版し、この中で一八五七年インド大反乱を「第一次独立戦争」と位置づけて描いた。彼は反英運動に関与したとして一九一〇年に逃亡先のパリで逮捕され、翌年から五〇年間のアンダマーン流刑に処された。一九二〇年代に釈放された後は『我が終身流刑』［Sāvarkar 2000（1966）］をマラーティー語誌に連載している。こうした書きものが、植民地的抑圧の象徴としてのアンダマーン流刑地像を作っていくことになる。

独立運動と二度の世界大戦を経て、植民地インドを維持する体力を持てないことが明らかになると、戦後イギリスの労働党政権はインドを独立させる方向に舵を切ることになる。独立に向けた議論のなかで利害を調整しきることができず、ムスリム多住地域が独立国家となるという結果に流れ着いた。かくして、一九四七年八月にインドとパーキスターンが分離独立することになる。

興味深いことに、新生のパーキスターンにおいて、ターネーサリーの流刑体験は、民族運動の物語として「誤読」されていくことになる。たとえば、独自のイスラーム復興を唱えた思想家サイイド・アブル・アアラー・マウドゥーディーの友人であったマスウード・アーラム・ナドヴィーは、その『ヒンドゥスターンの初期のイスラーム運動』［Nadvī 1952］において、イスラームに基づいた民族主義運動の一例として、ターネーサリーの『黒い水』に描かれた流刑体験を取り上げている。この頃までにはアンダマーン流刑自体に「民族独立運動」の意味が強く読み込まれるようになり、ターネーサリーのテクストも「誤読」されるようになっていったようである。こうした文脈で、ターネーサリーの『黒い水』は、インドとパーキスターンの両国で、再版が重ねられていくことになった(1)。

## 5　おわりに――安全な過去としての「独立戦争」

ターネーサリーの書きものは、彼が英語を学び英語で書かれた書物と向き合うことで、アンダマーンに関する既存のテクストの参照のネットワークの中に生み出されたものであった。言い換えれば、アンダマーンに関する一九世紀半ばまでに形成されていた植民地統治者による「アーカイブ」を前提としてターネーサリーのテクストは生み出された。流刑後のターネーサリーは、親英的な態度を取っており、そのことは彼の書きぶりからも本の出版の経緯からも明白であった。しかし、一九世紀末からインドの民族主義が興隆し、一九四七年にインドとパーキスターンが独立するという文脈において、ターネーサリーのテクストは民族主義運動の書きものとして「誤読」されるようになった。ターネーサリーの書きものが、リチャード・テンプルやラドクリフ・ブラウンのような人類学者たちによるテクストの参照ネットワークに位置づけられることはますます稀なことになっていった。民族主義のテクストの参照ネットワークの中に位置づけられることで、ターネーサリーの物語は異なるしかたで想像される「アーカイブ」の一部と理解されるようになったといえる。

こうした傾向は現在ではますます強まっているようである。インド大反乱から一五〇周年の節目として、二〇〇七年前後には英語だけではなくヒンディー語やウルドゥー語でも数多くの書籍が出された。特に、ウルドゥー語の書きものは、インドとパーキスターンの両国で出版されたが、大反乱を「第一次独立戦争」と位置づけるものが多く出された。インドにおいては、一九九〇年代からのインド人民党の勢力拡大とも並行して、ムスリム・コミュニティに対する圧力が強まるなか、インド国家に対するムスリムの貢献を確認するために、「第一次独立戦争」におけるムスリムの役割を強調することには意味があったであろう。一方で、パーキスターンにおいても、「第一次独立戦争」におけるムスリムの貢献を強調することは、国民国家の物語と矛盾するものではない。南アジアのムスリムが共通して安全に語ることができる過去として、一八五七年の「第一次独立戦争」が再確認されたのである。このような文脈において、二〇一〇年にインドのデリーで出された、サイードによる一八五七年大反乱の運動家たちの名鑑でも、ターネーサリーは「独立戦争の闘士」のひとりとして挙げられている［Sa'īd 2010: 81-83］。

アンダマーンにおける紙のアーカイブは、日本軍が破壊したことで物質的にはすでに喪なわれている。もはやわたしたちは、ターネーサリーやラドクリフ・ブラウンのようには、アンダマーンの資料を読むことはできない。しかしわたしたちは、たとえ物質的に喪なわれていたとしても、映画の登場人物セートゥが演じたように、歴史物語の装置として「アーカイブ」を求めてしまうようだ。あるいは、そうした実在／非実在の「アーカイブ」が、人びとに物語ることをうながしているのかもしれない。そうした物語は、遺されたわずかな歴史の諸断片を、自らの「アーカイブ」の中に取り込まんと、互いに綱引きしつづけるのであろう。

［謝辞］本稿は科学研究費（23K00881）の助成を受けたものである。Thānēsarī［1879］からの図版は、ラーホールのパンジャーブ大学図書館の蔵書から複製した。館長の Harun Usmani 先生、写本貴重書室長の Hamid Ali 先生に心からの謝意を表したい。

## 注

（1）これまでの『黒い水』の再版についての書誌学的な検討は、宮本［二〇二一］で行なっている。なお、管見のかぎりでは、『ポート・ブレアの歴史』のほうは、ナワルキショール版しか出されたことはない。

## 参照文献


Colebrook, R.H.

1799 On the Andaman Islands. *Asiatic Researches* 4: 401-411.

*The Imperial Gazetteer of India, new*（revised）

1931 ed., vol. 26. Oxford: Clarendon Press.

宮本隆史

二〇一一 「19世紀のアンダマーン社会：ムハンマド・ジャアファル・ターネーサリー『驚異の歴史：黒い水』より」『印度民俗研究』一〇巻 三一一三四。

Mouat, F. J.

1863 *Adventures and Researches among the Andaman Islanders*. London: Hurst and Blackett.

Nadvī, Mas‘ūd ‘Ālam

［1952］ *Hindustān kī Pehlī Islāmī Taḥrīk*. Ḥaidarābād（Dakkan）: Maktabah Nishāt-e Thānīya.

Sa‘īd, Wasīm Aḥmad

2010 *Kālā Pānī: Gumnām Mujāhidīn-e Jang-e Āzādī 1857*. Dehlī: Maulānā Āzād Akēḍmī.

Sāvarkar, Vināyak Dāmodar

2000（1966） *Merā Ājīvan Kārāvās*. Dillī: Prabhāt.

Thānēsarī, Muḥammad Ja‘afar

1879 *Tārīkh-e ʿAjīb. Lakhnaū: Munshī Naval Kishōr.*

1884/85 *Tawārīkh-e ʿAjīb. Anbāla: Maṭba‘ Ṭempal Prēs.*

（1891） *Tawārīkh-e ʿAjībah mausūm bah Sawāniḥ Aḥmadī. Anbāla: Bilālī Sṭīm Pres.*

# おわりに

宮本隆史・伊東未来

アーカイブは、常に何らかの意図をもって「アーカイブ」として設計され管理されるものとは限らない。そのように捉えてしまっては、われわれ人類がこれまでに作ってきた多くの記録が、アーカイブの範囲から外れ、見過ごされ、埋もれてしまうことになるだろう。他方でアーカイブは、何もないところに自然に発生するものでもない。私たち人間は、日々何かをなしては忘却する。その活動の痕跡は、のちに振り返ったときに「記録」としてあつかわれるようになり、参照されたり活用されたり消去されたりするものになる。それゆえアーカイブは、完了し閉じた体系として存在することはない。常に「現時点での最新版」として、日々刻々と変化している。

本書の各章では、住宅、写本、美術カタログ、歴史的文書といったさまざまなモノが、いかにアーカイブに「なり」、いかに記憶を媒介し、いかに社会の中でそのかたちや意味を変え続けているのか、その「最新版」の瞬間を捉え、示そうとした。

岩城は、日常生活に埋め込まれた建物のようなモノが、想起の装置として機能するさまを示す。自然的・文化的環境のなかで、建物はさまざまな記憶を喚起する。タイの高床式住宅に暮らす人びとは、柱に刻まれた洪水の痕跡について互いに語り合う。建物が伝える痕跡は、文書記録とは異なる性格のものだ。しかし、人びとはそれを読み取り、思い出し、語り合い、他の記憶と結びつけることで、建物を想起のための媒体として取り扱うのである。

伊東が論じたのは、アーカイブなるものがそこにあるということ自体が、社会的・政治的な意味を帯びるということである。トンブクトゥの住民にとって、手元にある写本の内容がいかなるものであるかにかかわらず、その存在そのものが強い矜持をもたらしてきた。これには、この社会における文字史料の位置づけが関係している。写本がテロリストによる破壊の危機に瀕すると、その矜持は再強化されることになった。

森は、制度化されたアーカイブに実装されるカタログという道具が、いかに戦略的に用いられるかを示した。カタログは、グローバルな市場においては、造形物をアート作品として位置づけるための仕組みとして機能する。一方でローカルな文脈では、アフリカの芸術家や美術匠たちもまた、自分たちの手元でカタログを作り自らの物語と存在を発信してきた。その相互関係の中で、さまざまな造形物は、「普遍的」な美術史なるものの中に位置づけられることで、「アート作品」としての価値を与えられるのである。

宮本は、文書や記録の「集積」としてのアーカイブが、歴史的に情報の参照のネットワークとして形成されてきたことを論じた。一九世紀後半に英領インドの流刑地アンダマーンで、流刑囚によって書かれた書物は、既存の英語の書き物を参照して書かれた。それは著者の親英的な姿勢を特徴としていたが、インド・パーキスターンの分離独立を経て、両国で繰り返し再版されるなかで、民族主義のテクストとして「誤読」されていった。参照する者の戦略に応じて、過去の書き物の集積は異なる参照のネットワークの中に置き直され続けるのである。

これらを通じて、「はじめに」で述べたように、アーカイブは自明の何かではなく、その価値も自明ではないということが、読者の皆さんにもお分かりいただけたのではないだろうか。

今日、アーカイブをめぐる環境は、日々変化している。タイの高床式住宅の柱は、数十年後にその表面の痕跡をカンナで削り取られ、「高級木材」として流通することになった。手で一文字一文字書き写されてはラクダで運ばれた写本は、数百年後のいまデジタル化されている。絵師が描く看板絵は、手のひらに収まるカメラで絵師自らによって撮影され、ＳＮＳ上で拡散され、世界中の人の手のひらにあるスマートフォンで閲覧されている。アンダマーンの流刑囚による書物は、百数十年後に文字起こしされ、機械可読テクストになっている。このような事態を、ほんの数十年前に誰が予測しえただろうか。

私たちはアーカイブについて語る時、こうした技術の「進歩」やそれによる公開性を称揚する。しかしこれらは、アーカイブがもつ危うさや複雑さを解決する特効薬ではないということについても、いま一度考えなければならないだろう。

アーカイブにあふれた世の中は、たわわに果実が実る森のようだ。そこここにある先人たちの知恵を、もぎとって血肉とすることができる。アーカイブはまた、流れの急な川のようでもある。手のひらにとって一口だけ啜るつもりが、膨大な量の情報に飲み込まれおぼれてしまうこともある。アーカイブの「利活用」に浮かれ、アーカイブを選び取り読み解く技術やリテラシーを身に着ける前に、私たちはアーカイブがもつこの両義的なちからを、自覚しなければいけないのかもしれない。

# あとがき

私が初めてフィールドワークに出てから、20年ほど経った。右も左も分からなかった――単なる比喩ではなく、本当に現地の言葉で「右」と「左」を表す単語すら知らなかった――あの頃、ありとあらゆるものを収集し、記録し、自分のフィールド・アーカイブとして蓄積していった。慣れない外国語で申請書類を書き、いくつもの部署をたらい回しにされた後、研究者にしか公開されていない外国のアーカイブへのアクセスが許されたとき、「私も研究者のたまごになれたのだ」と静かに感動したものだ。

当時に比べ今は、幸か不幸か、もう少し落ち着いている。大学で教えるようになり、授業期間の合間にねじこんだほんの数日や数週間の調査で、行きたい場所・人にスムーズにアクセスし、欲しい情報をよりピンポイントで得なければならない。少しの経験と人脈を得て、そうした時間の圧縮をある程度はできるようになった。いつからか、巷に「タイパ」という言葉が流行り出した。限られた時間でどれだけ効果や満足度を得られるかという意味を表す「タイム・パフォーマンス」の略だという。つまりは、以前よりタイパの高い調査ができるようになったということかもしれない。しかし、どこか寂しさは残る。

本ブックレットは、2021年の第17回松下幸之助国際スカラシップフォーラムの特別シンポジウム「社会に埋め込まれたアーカイブを読み解く：情報集積の文化政治学」をもとにしている。このシンポジウムおよび本ブックレットでは、多様なものを「アーカイブ」として捉え、そのちからを探ることを目指した。各章の研究分野や事例は、一見まったく関連のないものである。これらを「アーカイブ」をキーワードに接合させる試みは、研究キャリアが中堅に差し掛かりつつある私たちがその原点に立ち返り、よく分からないものをどうにかして自分たちなりの切り口で捉えようとあがいた結果といえるだろう。ある程度は、成功したのではないかと自負している。

なぜ「ある程度」かと言えば、「おわりに」で述べたように、これらの事例は、私たちがその時にかろうじて捉えることができたその瞬間の「最新版」に過ぎないからだ。アーカイブは、常にその文脈やそのもののかたちを変えていく生物（いきもの、なまもの）だ。アーカイブと向き合うということは、なんとタイパが悪く底の見えない営みであろうか。そもそも、「あとで役立つ（かもしれないし、しないかもしれない）からアーカイブしておく」という私たち人間の行為自体が、効率悪くも愛すべき習性なのかもしれない。

本書の執筆の契機となった上記シンポジウムの機会を提供してくださった松下幸之助記念志財団の皆さま、コメントやご助言をくださった参加者の皆さまに、お礼申し上げる。また、出版に際してご迷惑をおかけしながらも、多大なご尽力をいただいた風響社の石井雅氏に、心より感謝申し上げる。

共著者を代表して　伊東未来

**著者紹介**（50 音順）

## 伊東未来（いとう　みく）

1980 年生まれ。大阪大学大学院人間科学研究科博士後期課程修了。博士（人間科学）。現在、西南学院大学国際文化学部准教授。主著に、『ジェンネの街角で人びとの語りを聞く』（ブックレット〈アジアを学ぼう〉別巻 2、風響社、2011 年）、『千年の古都ジェンネ―多民族が暮らす西アフリカの街』（昭和堂、2013 年）、『かかわりあいの人類学』（栗本英世，村橋勲，中川理らと共編、大阪大学出版会、2022 年）など。

## 岩城考信（いわき　やすのぶ）

1977 年生まれ。法政大学大学院工学研究科建設工学専攻博士後期課程修了。博士（工学）。現在、呉工業高等専門学校建築学分野准教授。主著に、『バンコクの高床式住宅：住宅に刻まれた歴史と環境』（ブックレット〈アジアを学ぼう〉9、風響社、2008 年）、『アジアに生きるイスラーム』（笹川平和財団編、イースト・プレス、2018 年）、『危機の都市史：災害・人口減少と都市・建築』（「都市の危機と再生」研究会編、吉川弘文館、2019 年）など。

## 宮本隆史（みやもと たかし）

1979 年生まれ。東京大学大学院地域文化研究科博士後期課程単位取得退学。修士（学術）。現在、大阪大学大学院人文学研究科講師。主な編著に、『デジタル・ヒストリー スタートアップ・ガイド』（ブックレット〈アジアを学ぼう〉別巻 1、風響社、2011 年）、『デジタル時代のアーカイブ系譜学』（加藤諭と共編、みすず書房、2023 年）など。

## 森昭子（もり　しょうこ）

1983 年生まれ。青年海外協力隊やアーツカウンシル東京勤務を経て、現在、東京都立大学大学院人文科学研究科社会人類学教室博士後期課程。日本学術振興会特別研究員（DC2）。主著に、『旅する看板絵－ガーナ南部の絵師クワメ・アコトの実践』（ブックレット〈アジアを学ぼう〉別巻 21、風響社、2020 年）、『萌える人類学者』（馬場淳，小西公大，平田晶子らと共編、東京外国語大学出版会、2021 年）など。

アーカイブのちから　世界は足跡《アーカイブ》に満ちている

2023年10月15日　印刷
2023年10月25日　発行

著　者　伊東　未来
岩城　考信
宮本　隆史
森　昭子

発行者　石井　雅
発行所　株式会社　風響社
東京都北区田端4-14-9（〒114-0014）
Tel 03（3828）9249　振替 00110-0-553554
印刷　モリモト印刷


ISBN978-4-89489-814-1 0036